I Tannwen

cariad mawr
a
diolch

Ger Awst 2004
Hong Kong

Cerddi Caerdydd

Cyfres Cerddi Fan Hyn

Golygydd

Catrin Beard

Golygydd y gyfres

R. Arwel Jones

Argraffiad cyntaf—2004

ISBN 1 84323 410 6

ⓗ y casgliad hwn: Gwasg Gomer
ⓗ y cerddi: y beirdd a'r gweisg unigol

Dymuna'r cyhoeddwyr gydnabod cymorth
Adrannau Cyngor Llyfrau Cymru.

Cyhoeddir o dan gynllun comisiynu
Cyngor Llyfrau Cymru.

Argraffwyd gan
Wasg Gomer, Llandysul, Ceredigion SA44 4JL

CYNNWYS

v

vii

RHAGYMADRODD

Nod pob un o gyfrolau'r gyfres hon o flodeugerddi yw casglu ynghyd gant o gerddi am un ardal benodol, ei lleoedd, ei phobl a'i hanes. Yn wahanol i flodeugerddi eraill a seiliwyd ar uned ddaearyddol, cyfres *Awen y Siroedd*, er enghraifft, does dim gwahaniaeth o ble mae'r bardd yn dod; yr unig ystyriaeth o ran *Cerddi Fan Hyn* yw ei fod ef neu hi yn canu am yr ardal dan sylw. Cyfyngwyd cyfraniad pob bardd i ddim mwy nag wyth o gerddi ac yn yr un modd ceisiwyd cyfyngu ar nifer y cerddi i un testun penodol.

Cyfyngwyd y dewis i gerddi a oedd yn ddealladwy heb gymorth nodiadau ysgolheigaidd gan ofalu cynnwys y disgwyliedig a'r annisgwyl, y cyfarwydd a'r anghyfarwydd, yr hen a'r modern, o ran beirdd a thestunau. Cymerodd ambell fardd ran fach ar y llwyfan cenedlaethol tra bod ambell un arall wedi chwarae rhan cawr ar y llwyfan lleol; ceisiwyd cynnwys enghreifftiau o waith y naill fel y llall.

Y gobaith yw y bydd y gyfres hon yn un y bydd pobl yr ardaloedd dan sylw a thu hwnt iddynt yn troi ati wrth chwilio am eu hoff gerdd am yr ardal neu wrth chwilio am rywbeth ychydig yn wahanol, ac y bydd yn cynnig darlun o ardal, ei phobl a'i hanes yn ogystal â bod yn ffynhonnell o wybodaeth am yr ardal y byddai'n rhaid lloffa'n eang amdani fel arall.

R. Arwel Jones

RHAGAIR

Yn yr hanner can mlynedd ers pan ddyrchafwyd Caerdydd yn brif ddinas, go brin fod yr un ardal arall yng Nghymru wedi gweld newid mor amlwg o ran tirwedd a diwyg, a go brin fod yr un ardal arall chwaith yn ennyn ymatebion mor eithafol ag y gwna'r ddinas. Dydi perthynas y Cymry â Chaerdydd ddim bob tro yn un hawdd. I lawer mae'n ddraen sy'n llyncu'n pobl ifanc, yn gyrchfan i'r sawl sydd yn chwilio am fywyd bras a gyrfa dda, a hynny ar draul cymunedau cefn gwlad. I eraill mae'n arwydd o'n dyfodol fel cenedl, yn ddinas ifanc, gosmopolitan, fywiog, yn cymryd ei lle ar y llwyfan rhyngwladol. Un peth sy'n sicr, beth bynnag mae Caerdydd yn ei olygu i chi, mae'n golygu rhywbeth gwahanol iawn i'r person nesaf. Nid fy Nghaerdydd i yw eich Caerdydd chi.

I mi, mae'n gartref, yn fagwraeth, lle byddaf bob amser yn teimlo'n gyfforddus. Ond wedi dweud hynny, nid fy Nghaerdydd i yw Caerdydd miloedd o bobl eraill sy'n teimlo'r un fath â mi. Roedd fy mhlentyndod i yn y ddinas yn un hollol Gymraeg ei iaith, rhwng yr ysgol, y capel ac Adran yr Urdd, ond prin iawn y byddai fy nghymdogion yn clywed yr un gair o Gymraeg o un pen blwyddyn i'r llall. Sail y ddinas yn wreiddiol oedd ei phorthladd, ond i mi yn blentyn, roedd y dociau yn gwbl ddiarth, a Tiger Bay yn rhywle na fûm i ynddo erioed. Newidiodd natur y lle i mi ar ôl dychwelyd i'r ddinas wedi dyddiau coleg; deuthum i adnabod rhannau ohoni na fu cyn hyn yn ddim mwy nag enwau, a dod i ddeall na fyddaf i fyth yn adnabod holl amrywiaeth y ddinas a'i phobl.

A beth am y beirdd? Wrth fynd ati i chwilota am gerddi i'w cynnwys yn y gyfrol hon, roeddwn yn edrych ymlaen at brofi'r amrywiaeth yma, a chlywed barn beirdd Cymru am le sy'n ennyn teimladau mor gymysg. Nid chwilio am gerddi yn canu clodydd y strydoedd neu'n disgrifio'r adeiladau yr oeddwn i, ond am gerddi sydd â Chaerdydd, a phrofiadau pobl o'r ddinas, rywsut neu'i gilydd yn rhan ohonynt.

Y syndod mwyaf wrth chwilota oedd cyn lleied sydd wedi ei ysgrifennu am Gaerdydd. Rwy'n gwybod i olygyddion cyfrolau eraill yn y gyfres hon deimlo eu bod yn boddi o dan don o gerddi y gallent eu cynnwys, ond ymddengys mai cyndyn iawn fu'r beirdd i droi'r profiad dinesig yn farddoniaeth. Wedi dweud hynny, mae'r cerddi sydd wedi eu hysgrifennu yn darlunio amrywiaeth y profiadau a'r ymateb. Er bod nifer o'r beirdd a gynhwysir yma yn rhai a anwyd neu a fagwyd yn y ddinas, yn eu plith Mererid Hopwood, Gwyneth Lewis, Emyr Lewis, Llinos Angharad, Bobi Jones a Geraint Jarman, pobl ddŵad ydi'r rhan fwyaf o'r trigolion Cymraeg eu hiaith yn y ddinas, ac efallai bod yna ychydig o'r 'edrych i mewn' i'w weld yn llawer o'r gwaith.

Fel rhan o ymgais Caerdydd i ennill statws Prif Ddinas Diwylliant Ewrop 2008, cynhaliwyd arbrawf gan yr Academi, sef 'Cerdd Fawr Caerdydd', oedd yn wahoddiad agored i unrhyw un gyfrannu pennill neu gerdd i'w cynnwys mewn un gerdd fawr organig. Unwaith eto, gwelwyd amrywiaeth y ddinas yn ymateb y cyfranwyr, a chynhwysir rhannau o'r gerdd honno yn y gyfrol.

Gyda'r amrywiaeth yma ar flaen fy meddwl wrth fynd ati i ddethol, diau fod rhai cerddi clodwiw wedi eu hepgor o'r gyfrol, gan roi lle i rai eraill nad ydynt, o safbwynt beirniad llenyddol, lawn mor deilwng o bosibl, ond eu bod yn mynegi profiad gwahanol. Nid wyf yn ymddiheuro am hyn. Os yw'r gyfrol yn anwastad, yna mae'n adlewyrchu'r testun.

Byddai'n dda cael blodeugerdd arall o gerddi am Gaerdydd ymhen ugain mlynedd. Does dim amheuaeth y bydd y ddinas wedi newid yn sylweddol yn yr amser hwnnw – bu'r newid dros yr ugain mlynedd diwethaf yn syfrdanol, a does dim golwg bod y datblygiadau yn arafu. Wrth i'r ddinas chwarae ei rhan ym mywyd Cymru a thu hwnt, does ond gobeithio y bydd y beirdd yn ymateb hefyd.

Hoffwn gyflwyno'r gyfrol i'm rhieni, gyda diolch am ddod â mi i Gaerdydd.

Catrin Beard

PRIFDDINAS CAERDYDD YN DIHUNO

Bore yn pesychu
   Ac mae hi'n bwrw glaw,
Dinas yn ymysgwyd
   Am naw.

Siopau'n agor llygaid,
   Stryd yn estyn braich,
Pobl megis chwilod
   Dan faich.

Ceir yn dechrau deffro,
   Llanwant ffyrdd fel gwaed,
Sbwriel ar y pafin
   Dan draed.

Afon yn ei gwely,
   Hen wraig yn mynd drwy'r dre.
Prynu rhywbeth blasus
   I de.

Swyddfeydd yn dadebru
   I fod yn rhan o'r sioe,
Popeth yn gyfarwydd
   Fel ddoe.

Mihangel Morgan

1

CYWYDD GWAHODD GŴYL GERDD DANT CAERDYDD 1981

Un gynnes yw'n neges ni –
Dechau o gennad ichi
I ddod draw i roddi tro
Am dylwyth cwmwd Iolo
I bennaf tref y trefydd
I oror deg tref Caerdydd.

Un haelwych fu ein talaith
Hi roes nawdd a gwres i'n hiaith;
A'i nodded estyn heddiw
I Ŵyl lon werinol wiw;
A gâr dant doed i Gaerdydd
Yn hoenus mewn llawenydd.

I bencerdd a phob cerddor
Addo yn ddiglicied ddôr
A nodded ddibrin iddynt
Trwy yr Ŵyl o ddônt ar hynt
Yn wresog cânt gan croeso
Hylon brwd yng ngŵyl ein bro.

Dewch mewn hwyl i'n gŵyl i gyd
Gŵyl fydd i hen gelfyddyd;
Yno bydd pob rhyw fwyniant
Yn wych deg i foddio'ch dant
Alaw a dawns a thelyn
A hwyl taer cystadlu tynn.

Neuadd goeth fydd nawdd i gân
Un fawrgoeth, perl gwlad Forgan
Lle ceir y stôr, drysorau
Lluniau hardd i'ch llawenhau,
A lle rhoed i sefyll, rhes
Arwyr ein hen hen hanes.

Ar unwaith, Gymry annwyl,
Dewch i gyd i glydwch gŵyl
Cyn dyfod gwae y gaeaf
Yn fintai hardd i fin Taf
I bennaf tref y trefydd
Yn awr dewch i dref Caerdydd.

Islwyn Jones

LLIWIAU'R DDINAS

(Caerdydd adeg y Jiwbilî a Steddfod yr Urdd, Mehefin 2002)

Mae regalia ddoe yn y ddinas o hyd
yn atgof o'r grafanc fu'n siglo'i chrud:

mae'r muriau castellog yn faneri ciwt,
er nad gwag ydi cyfarth gynnau'r saliwt;

mae mwg awyrennau'n drilliw'n yr aer
ac mae digon o aur yng nghadwyn y maer

i roi cip ar y coffrau i'r trigolion mân,
dangos pa geiniog piau'r gân.

Ond mae penseiri newydd wedi gwneud eu marc
ac mae'n Fehefin yng nghoed y parc;
coch ydi'r wawr ar bebyll yr haf
a gwyn ydi'r lleuad uwch sgyrsiau Taf.

Myrddin ap Dafydd

4

STEDDFOD YN Y DDINAS

Caru Cymru fel pob Cymro
Ond mae'n anodd bod
Yn naturiol yn y petha
Wrth im fynd a dod.
Ond daeth rheswm i'm bodolaeth
Draw i'r stad o dai;
Hen ddiwylliant yn Llanedeyrn
Cariad yn cryfhau.

Steddfod yn y ddinas
A'r haid yn hawlio'r hwyl
Y pentwr draw ym Mhentwyn
Yn sweltran yn yr hwyl;
Steddfod yn y ddinas
A'r stryd yn llawn Cymraeg
Y dyrfa draw yn Tito's
Yn solet fel y graig.

Gweld derwyddon yn eu gwisgoedd
Mewn bws yn gwibio draw
Rhai yn gwenu, rhai'n cynganeddu
Am y gwynt a'r glaw;
Beirdd yn canu am eu cyswllt
Am eu hieuenctid ffôl;
Roedd hwn i mi heb ddim amheuaeth
Yn steddfod roc a rôl.

Steddfod yn y ddinas
A'r haid yn hawlio'r hwyl
Y pentwr draw ym Mhentwyn
Yn sweltran yn yr hwyl;
Steddfod yn y ddinas
A'r stryd yn llawn Cymraeg
Y dyrfa draw yn Tito's
Yn solet fel y graig.

Geraint Jarman

5

WRTH AFON TAF

A'r gyrwyr yn prysuro
Bob munud i'r stryd dros dro,
Yn rhy hwyr, o hyd ar ras,
Ar ddihuno mae'r ddinas,
A daw rheffyn o'r draffordd
A'i ryfyg ffyrnig i'r ffordd.

Hyd y nos bu'r gwynt yn hel
I boeri dail a sbwriel
A'i lanast dan olwynion;
Ac ar lawr ar gwr y lôn,
Mae Rhagfyr budur di-baid
Yn rhynnu bodiau'r enaid.

Ac eto, heibio i'r gwter,
Heibio i lan o lwyni blêr,
Mae llif isel tawel Taf
Yn gyhyrog o araf
A hen oglau mwsoglyd
Islaw'r bont o sylw'r byd.

Rhywfodd, o noddfa'r afon
Gan bwyll i'r ffordd orffwyll hon,
Daeth un aderyn o'r dŵr
I ganol yr holl gynnwr':
Un alarch diymgeledd
Oedd yno'n eon ei wedd.

Ond y ceir ar fynd o'u co',
Arhosodd rhag eu brysio
Ac roedd pob lôn yn llonydd,
Wedi'u dal ym more'r dydd
Gan yr hyfdra hardda' un
A herio'r cerddwr claerwyn.

Oddi yno'n ddianaf
Eto aeth i afon Taf;
Ar un waith âi'r gyrwyr nôl
I'w rhuo swrth boreol
Wedi i ennyd mor dyner
Fynd o gof, a newid gêr.

Emyr Davies

EIN DINAS

Yn y gorffennol pell,
doedd hi'n ddim
mwy na chaer gadarn
ac afon flinedig yn llifo'n hamddenol
ar ei ffordd i'r môr.

Mor wahanol yw hi heddiw –
Yn fwrlwm direidus
o fore tan nos.
Lleisiau lliwgar, amrywiol
yn arllwys fel llestri gorlawn
i'r awyr boeth.
Traed a thraffig sy'n teithio
dros strydoedd prysur.
Ond!
Sbwriel sy'n gorchuddio'r harddwch
a llygru'r llawenydd.

Yfory, efallai –
bydd glendid a balchder,
fel mantell,
yn taenu teimlad braf
fel haf dros ein dinas.
Yfory . . . efallai.

Blwyddyn 5 Ysgol Melin Gruffydd
(Dosbarth Mrs Semmens)

8

CAERDYDD

Yma lle y treia Taf ei math o fôr undyn
Rhwng muriau gwythïen na châr y gwaedlif du
Mae blas anobaith, pontydd traffig i bob-man
Heb gyrraedd yr un, a'r holl orffennol gwlyb
Heb berthyn i'r dyfodol. Yma y treia Taf.

A minnau'n llanc agored i ysbrydoedd
Fe ddarfu iaith i mi fel digwydd byd.
Diferodd arnaf, meddiannu â chefnfor iach,
Tonni o'm cwmpas a chwyddo'n ysgwydd esmwyth
Ac eto'n ffres, yn bur, yn glir fel dŵr,
A'm boddi.
Mae rhywbeth nas adwaenir mewn dŵr.
Awyr sy'n drymach yw ond heb bellter awyr
Boed ef ar ymyl llyn fel aelod gwyn, mewn crwybr anadl
Neu ar lan nant a'i sêr yn ffair ddisobrwydd
Neu'r môr, mae'r môr yn alarch sydd yn symud
Dros fynwes drist ein llygaid heb lesgáu,
Yn symud gyda nerth a thrwch distawrwydd.

Estynna dŵr ein hystyr: ef yw'r cydiwr,
Yr amgylchydd ar ein teimlad, dwfn i'r wefus:
Mewn bedydd mae mor dawel â chwsg rhiain
Yn cyffwrdd â'n talcen cras gan wybod poen.
Daw i mewn i'n dwylo fel anifail;
Llithra o'n gafael fel einioes. Ond ysbryd yw,
Ysbryd sy'n oer ar goesau. Crys y ddaear.
Chwarddwr aflonydd nosweithiau glan y môr.

Pan oeddwn yn llanc o gorff, yr iaith Gymraeg
A dasgai gynt drwy hwyl a mawredd llysoedd,
Ond 'nawr sy'n sugno ystyr ein gweddillion ynghyd,
Hi fu. Sut geirio curo'r galon?
Y derbyn ar fy nhalcen? Llywiodd fi
Rhag strydoedd dur, drwy goridorau clercod
Budr eu cenfigen a'u hunan-falchder brics
Ar hyd papurau punt a chwantau neis
At fae. O sut dywedyd cic fy llygaid

O weld y gwahaniaeth rhwng yr hyn a fûm
A'r cyfle i fod yn grwn fel nas breuddwydiwn?

Ie, gwaed yw dŵr sy'n picio i lawr i'r gwreiddiau,
Yn cronni'n bwll wrth dyllau sudd. Ireiddia
Gleitir na fu ond c'ledi pigboeth arno.
Mae'n grwn, yn goch fel afal. Ac O fe red
Rhwng brwyn fel merch, fel gwiwer rhwng y glannau.
Fe allech chwerthin pe gwelech mor fabanaidd
Yr ymglyma wrth gerrig, a'i drwyn a'i draed
A'i ddwylo mân yn palfalu. Teifl
Freichiau yn dwym am frochi; dawnsia'r diferion
Ar bennau'n llywethau'n gynt na phelydr chwil.

Gyda'r glaw plwm yn yr hwyr glân,
Gyda'r dŵr trwm hyd y llawr hwn
Disgyn yr iaith o air i air o flaen y gwynt crin,
yn ddail-ddafnau yn y niwl. Niwl.
Mae'r safonau wedi cwympo, ac yn awr y geiriau
Coch, melyn, brown, gwyn, yn chwyrlïo tua'r tir
I orwedd, pa hyd, cyn bod powdwr pwdr.

Yma lle y treia Taf ei math o fôr undyn
Mae'r dŵr yn cilio, yn troelli'n chwydrel sur
Ac yn ferbwll. A fydd yma beth yn unman bellach?
Ai crai wastadedd cras? Ai dail crych
Heb ddyfnder glas? . . . Os felly, llawenhawn
Am y dŵr sydd yma ar ôl; ac na chynilwn.
Iechyd da, pob hwyl, i Dduw a fu'n ymsymud
Ar wyneb dyfroedd. Iechyd da i'r Iachawdwr, i'r Un
A godai ddyfroedd bywiol o bydew cenedl.

Bobi Jones

CYMRU O'R AWYR

(ar gyfer cyfres i S4C)

Ardal Caerdydd

Dyddie hyn
does dim amser
i rolio mewn twyni,
oedi wrth droed cestyll,
a dilyn cerrig camu 'nôl at ddoe.
Dim amser i gofio'r chwedlau a ddrylliwyd
yn nwylo cyfrwys clogwyni
neu chwilio am drysor anweledig y mythau coll.
Crwydro hyd brethyn y caeau llafur
a gweld antur mewn natur.
Cofio clywed arogleuon gwymon y bore bach
wrth gasglu cregyn.
Meddyliwn bryd hynny mai fi oedd bia'r môr,
tywysoges yn feistres ar gastell tywod
yn herio ribidires y tonnau gwyllt.
Dyddie hyn
rhy hawdd anghofio'r llongau glo
yn cario gorau glas y gweithwyr dygn
a dod o bell â bara menyn i fwrdd trigolion Bute.

Heddiw ry'n ni'n rhy brysur
yn gwneud y byd yn llai.
Gweithio. Gweithio
i neud pethau'n well . . .
Bydd bywyd yn haws i'w fwynhau wedyn
– pan gewn ni amser.

Codi gobeithion o faes awyr;
awyrennau rhyddid
yn torri drwy bnawn Sul o lonyddwch
gan ysgwyd ofn i'n hesgyrn.
Gorsaf drenau, arteri'r ddinas
sy'n symud, symud
o hyd.

Ma popeth yn agos.
Popeth yn fawr. Popeth yn hawdd.
Stadiwm yn orsedd i'n balchder
a'n sêr . . .
Cystadlu. Cymysgu. Canu. Yn un dorf.
Manics yn siglo'r meini.
A chlywyd si
fod Robbie
'di taflu'i deledu
o'i westy.
Clywyd hynny mewn tacsi.

Teithwyr a siopwyr yn cario clecs yn eu bagiau siopa,
busnesu yn yr Aes.
Eu sgwrs yn mynd yn ddim
fel briwsion y colomennod.

Gyrwyr yn dyrnu'r aer
i gael cyrraedd yn gynt.
Rhegi
am fo'r ceir 'di oedi
a'r haul yn poethi.

Ry'n ni'n brysur, brysur.
Pawb yn morgruga i'r siopau
a'r bwytai neis yn y dociau
a'r gwynt yn chwipio'r cychod.
Mannau cyfarfod
i bobl wag yn trafod bwyd wrth fwyta'u gwaith.

Clywais eiriau mawr yn y Barri
yn cael eu gwastraffu rhwng cyplau
fel ceiniogau ffair.
Plant yn sglefrio eu bratiaith
ar hyd y lle.
A dyn bach fel tywodyn
yn dweud dim byd am y byd.
Mae pawb yn mynd i rywle.
Pwy a ŵyr i ble?
Gofynnais un tro
i ddyn yr *Echo*.

Ond ysgwyd 'i ben
wna'th hwnnw.
Cartwnau byw o bobl
yn gweu i'w gilydd
yn blethiadau lliwgar.

Ond datod wna'r patrwm
gan fod rhyddid yn ein caethiwo rhag uno.
Does dim amser i afael llaw,
. . . i rannu profiad.
Mynd a dod yn unig wnawn
heb berthyn.
Fel hen gariadon.

Dim amser i dynnu'r haenau
a chofio'r
plentyn ynom
yn rholio
hyd y twyni tywod
heb fecso pwy sy'n dod.

Gwnaed ein byd yn fach.
Ond pellach o'i gilydd mae pobl.

Pasio heb air
fel cychod ar ddŵr
neu wylanod . . .
mewn bae a grewyd gan ddyn.

Mari George

13

ONI DDOWN I'R WAUN DDYFAL

Oni ddown i'r Waun Ddyfal
yn dawel, â'n dwylo ar led,
i glustfeinio gweddïau,
i wrando cyffesion cred
ceidwaid ei siopau cornel,
ffyddloniaid y 'Flora' a'r 'Crwys';
oni ddown i'r Waun Ddyfal felly,
nid ŷm gymwys.

Oni ddown i'r Waun Ddyfal
a garwn, pan fydd y gwlith
ar doeau'r ceir yn belenni,
i wylio ei hadar brith
a'i hen wragedd sy'n rhegi
ei gilydd wrth groesi'r lôn;
oni ddown i'r Waun Ddyfal felly,
nid yw'n ddigon.

Oni ddown i'r Waun Ddyfal
i ddawnsio, â hithau'n boeth,
a llwch cyfarwydd ei phalmant
yn gras dan ein gwadnau noeth,
i blith ei mil fforddolion,
yn rhith mewn ffenestri llwyd;
oni ddown i'r Waun Ddyfal felly
yn ein breuddwyd?

Emyr Lewis

14

RHAID PEIDIO DAWNSIO YNG NGHAERDYDD

Rhaid peidio dawnsio yng Nghaerdydd
rhwng wyth a deg y bore:
mae camerâu yr Heddlu Cudd
a'r Cyngor am y gore
yn edrych mas i weld pwy sydd
yn beiddio torri'r rheol
na chaiff neb ddawnsio yng Nghaerdydd
ar stryd na pharc na heol.

Mae dawnsio wedi deg o'r gloch
yn weithred a gyfyngir
i gwarter awr mewn 'sgidiau coch
mewn mannau lle'r hebryngir
y dawnswyr iddynt foch ym moch,
heb oddef stranc na neidio,
ac erbyn un ar ddeg o'r gloch
rhaid i bob dawnsio beidio.

Ond ambell Chwefror ar ddydd Iau,
pan fydd y niwl a'r barrug
yn fwgwd am y camerâu
fel bo'r swyddogion sarrug
yn swatio'n gynnes yn eu ffau
gan ddal diodydd poethion,
mae'r stryd yn llawn o naw tan ddau
o ddawns y sodlau noethion.

Emyr Lewis

AR GROESFFORDD YNG NGHAERDYDD

Safaf ar yr ochr draw
i fan cyfarfod y frenhines aur a'r brenin
yng nghysgod caer y Norman.
Rhed heol y dug ffug
ar ras tua'r gorllewin,
ac i'r de o'm blaen
mae maes hen eglwys Ioan
a pheraroglaidd anweledig dir
James Howell a David Morgan.

Tyf tair pluen
yn y lawnt tu ôl imi –
y tair a dyf
ar faes y chwarae cenedlaethol
yn ymyl afon Taf
i lawr yr heol,
y tair, ryw Fawrth y cyntaf,
a wywodd wrth y pyst,
gan ddifa ias y canu wedyn,
a phob calon lân yn dyst.

Profiad diflas
yma'n y brifddinas
yw sefyll
wrth yr annwyl gaer estronol
yn nhrybestod
cyrch yr amhersonol lif di-baid
a syllu draw ar y frenhines reiol
gan wybod
fod cadarnle'r Blaid
ymhellach lawer
na Ffordd yr Eglwys Gadeiriol.

Gilbert Ruddock

HEOL SIARL, NOS WENER

Ar fore Sul,
wrth gyrraedd yn y Sierra
i wrando'r Gair,
rhyfedd yw meddwl
fod ein heol dawel
ychydig oriau ynghynt
wedi bod fel ffair.

Erbyn ein dyfod,
bydd y clybiau'n fud,
yr yfwyr a'r dawnswyr wedi diengyd
a diflannu o'r byd.
Cyn hir,
moliant emynau,
nid salmau'r siartiau,
a seinir.

Ond heno,
wrth ddisgwyl ein plant o'r sinema draw
ar dywydd glawog,
a'n meddwl ar y meddwyn
a anelai atom,
gan simsanu heibio i'n ffenestri,
cysur hawdd ei gael
oedd y cloi canolog.

Gilbert Ruddock

CATHEDRAL ROAD

Rwy'n dy gasáu di,
Cathedral Road.
Cerddaf ar dy hyd
yng nghôt gaeaf diflastod,
a'm corff yn friw dan
bwn croes cwrw neithiwr.
Y cur yn fy mhen,
y boen sur yn fy mol
fel poen erthyliad,
a blinder, fel ewinedd
sy'n darnio croen
a thynnu gwaed,
yn crafu dagrau
i'm llygaid.

Rwy'n dy gasáu di,
Cathedral Road.
Ti a dy ddinas,
y cyfog yn dy strydoedd,
arogl hen drempyn ym mhob
ciosg ffôn,
trothwy dy ddrysau
yn wlyb gan ddŵr dyn.
Palas y merched sgertiau tynn,
a sgrech nodwyddog y seiren
yn cyhoeddi
drewdod dy gynteddoedd.

Rwy'n dy gasáu di,
Cathedral Road.
Ac eto –
cerddi sydd yn cuddio
yn rhychau dy buteiniaid
ac yng nghamau herciog y meddwyn.
Pleserau rhad dy gorff
gynhyrfodd Siôn Eirian
a Jarman
i garu, i ganu.

A minnau'n dod
i grombil dy freichiau
i chwilio am fywyd,
am wefr.
Chwilio
a cheisio peidio
tagu ar ddrewdod
dy geseiliau.

Rwy'n dy garu
ac yn dy gasáu di,
Cathedral Road.
Ac o groth dy ddinas
daw seiren arall
fel sgrech newydd-anedig
i ddangos
fod pechod arall
wedi codi ei ben.

Lona Mari Walters

STRYDOEDD CUL PONTCANNA

Mae'r lonydd ym Mhontcanna
sy'n arwain rhwng y tai . . .
pwy sydd ar fai?
pwy sydd ar fai?

Wrth gerdded yn y canol
pa ochr sy'n wahanol
cyn cyrraedd pen?
cyn cyrraedd pen?

Dwi'n chwilio am y llais angerddol
yn y tyllau du
a ffair Soffia'n sgrech i'r nos;
ond strydoedd cul Pontcanna
yw dy nefoedd
yn cicio'r bêl i'r ystlys;
rhwng Taf a Thafwys mae'r rhaff yn tynnu,
mae'r rhaff yn tynnu fi 'nôl.

Mae'r brad sy 'nghlwm i'r pafin,
y plas, y parc a'r cae . . .
pwy sydd ar fai?
pwy sydd ar fai?

A'r slap wrth dyfu'n Gymro
sy'n rhwygo'r rhuddin ynddo
cyn troi yn sant,
cyn troi yn sant.

Ti'n crïo fel y praidd di-feddwl
yn dy wely plu,
paid gofyn i mi fod yn ffrind;
ond strydoedd cul Pontcanna
yn frith o olion traed
y brogues a'r daps di-derfyn;
rhwng Taf a Thafwys mae'r rhaff yn tynnu,
mae'r rhaff yn tynnu fi 'nôl.

Geraint Jarman

BLUES PONTCANNA

Mi alwodd rhywun 'yuppie' ar fy ôl i,
wrth ddod yn ôl o'r deli gyda'r gwin;
rwy'n methu ffeindio'r fowlen guacamole,
ac 'nawr rwy'n ofni y bydd fy ffrindiau'n flin.
Anghofion nhw fy nghredit ar y sgrin.
Does neb yn gwybod fy nhrafferthion i gyd,
does neb i 'nghanmol heblaw fi fy hun.
Mae blues Pontcanna yn diflasu 'myd.

Rhaid mynd i'r ddinas, ond y trwbwl yw
mae'n beryg parcio'n rhywle heblaw'r gwaith,
rhag ofn i'r iobiau grafu'r BMW
ac i ugain mil o gar ddiodde' craith.
Dim byrddau yn Le Gallois ar ôl saith.
Baglais dros ddyn digartref yn y stryd.
Dyw 'nynes llnau i ddim yn medru'r iaith.
Mae blues Pontcanna yn diflasu 'myd.

Dyw'r un o'm ffrindiau wedi gweld fy lluniau
yn Barn, er imi'i roi'n y stafell fyw.
Y bore 'ma, mi glywais ddyn y biniau
yn dweud ystrydeb hiliol yn fy nghlyw.
Mae rhywbeth mawr yn bod ar fy feng shui.
Mae'r gath 'di bwyta'r anchovies i gyd.
Mae Golwg wedi 'mrifo i i'r byw.
Mae blues Pontcanna yn diflasu 'myd.

Mae'n artaith bod yn berson creadigol
ac Es Ffôr Si yn talu'r biliau i gyd,
a neb 'di galw ar fy ffôn symudol.
Mae blues Pontcanna yn diflasu 'myd.

Grahame Davies

SANDOZ YN LOUDON SQUARE

Sbwriel yn llusgo ar y llawr;
enfys eira'n toddi'n awr;
daeth hen gi mor gloff a glas,
piso'n araf ar y wal,
crynu yn yr awyr oer,
cloch yr eglwys taro'r dôn,
ateb tonaidd yn y nos.
Clustiau byddar ar y lôn;
llusgodd y llwydion rhag y gwynt;
sydyn Pentax yn y llaw;
ysbrydion sêr sydd ar eu hynt
wedi crebachu yn y glaw.

Dyma'r sgwâr oedd fel y nef
lle'r own ni'n dwyn ein losin du.
Tŷ coch neu dafarn bob-'ail-ddrws,
dim byd ar ôl fy hen *Zombie*;
dyma'r *Crèche municipal*.
O dan ei pheint seimllyd a ffug
etifeddiaeth babis bach;
teimlo hiraeth yn y crud.
Merched fflashio *nylons* du,
hongian tu fas i'r tŷ bach glas
ffoaduriaid o'r *North Star.*
Maen nhw wedi'u towlu mas.

Mae'r gamlas heno'n llawn o rym
lle bu'r plant yn nofio gynt.
A dyma fe, y gwrcath du.
Blwbît Jeivio ar y gwynt,
a dyma gofgolofn Arglwydd Mawr
o dan y gastanwydden bêr.
Aroglau melys ganja gwyrdd
gyda'r lloergan, gyda'r sêr,
a dyma waliau Plas y Glo
a dyma'r eglwys ar y bryn.

Dychmygwch fod e'n bosib i
daro'r nefoedd o fan hyn.
Amhosib oedd e inni weld.
Beth oedd o flaen ein llygaid ni
yma heno yn yr ardd
tu hwnt i ddiwedd galacsi?

Meic Stevens

CWSG AC EFFRO

(Lliw Caerdydd liw nos)

Mae'n nos, ac mae'r ddinas yn cysgu ci bwtshiwr,
hepian swnllyd a 'mystwyrian
rhwng y goleuadau traffig
sy'n anadlu ... coch ... coch, melyn ... gwyrdd ...
A'r ceir yn suo ar hyd crud y ffyrdd
yn hymian hwiangerddi hyshabyibêbi o'u hegsôsts.

Shhhh ...
Mae'n nos.
Dim ond atgof yw'r haul a'i wres,
rhywbeth ddaw eto fel cur pen diffael y bore
a diffyg traul wedi kebab blasus ola' Caroline Street.
Ond nawr mae'n fagddu o fudan heblaw am
oleuadau oren *sleazy* yn tasgu bobman,
'molchi'r strydoedd,
gwneud i bopeth arafu a stopio am hydoedd.
Ac mae amser yn aros yn ei unfan –
'does dim tycio ar fysedd tic-toc y clociau.
Rhwng yr oriau mân a'r oriau mwy
daw cwsg i gwtsho pawb yn ddiddos.
Yr hen fenyw sy'n gwthio troli ei gobeithion
drwy strydoedd cefn cwrw-a-tships Canton,
yn mwmial clecs yr hen amser wrth ei gobennydd.
Y bechgyn swnllyd llawn twrw gwrywaidd
yn bwrw'u blinder bob un ym mreichiau
eu *ideal bird* rhywle yn Nhrelai,
'Onest! Roedd ei thits hi mor fawr â hyn!'
Mamau diamcan yn gadael eu prams – a rhedeg!
Dianc o ffrwydriadau sgrechfeydd
stealth bombs eu babis crac di-ddymi, diddannedd, dienaid;
breuddwydion llawn Sudocrem, bronnau llac a sic –
'*Will you bloody shut up or I'll smack you one!*'
Eco clic-clic sodlau uchel a sgidiau smart
siwtiau gefn-dydd-golau St. Mary's Street ar eu ffordd i'r gwaith
cyn i'r brain ddeffro,
yn atgof o rywbryd anghyfarwydd ar amser fel hyn.

24

Ambiwlans yn sgrechian drwy Sblot fel sgalpel –
slashio'r nos, rhwygo heibio,
ac mae'r ddinas yn rhegi yn ei chwsg heb ddihuno.

Ac ar furiau'r castell
yn garreglwyd lonydd,
holl anifeiliaid y greadigaeth
yn gwylio'r nos â'u llygaid melyn di-flinc –
straffaglu'n ddi-sŵn o'r goedwig
i jyngl y ddinas – yn barod i bownsio.
Ac yng ngolau oer un bore bach arall eto,
mae'r ddinas yn deffro.

Elinor Wyn Reynolds

CERDD FAWR CAERDYDD 1

Liw nos yng Nghaerdydd tyrd i wrando
ar leisiau sibrydion y stryd
yn siarad wrth iddynt freuddwydio
am weled gwawr newydd i'w byd.

Cei wrando ar lais dinasyddion
yn uno â llais cefn gwlad
yn siarad yn daer am obeithion,
am fory, am ddyfalbarhad.

Rhyw sôn mae'r sibrydion yn dawel,
mewn ieithoedd sy'n mynnu â bod,
am newid yng nghyffro yr awel,
am Gymru sydd eto i ddod.

A heno'n y Bae y mae lleisiau
hen ieithoedd yn cyrraedd y tir –
mae'r ddinas yn sibrwd storïau
a'r neges, fy nghyfaill, yn glir.

Anhysbys

CERDD FAWR CAERDYDD 2

Fe aiff i deithio, fy enaid, lawer noson,
wedi i fwyell cwsg ei dorri'n rhydd,
ac ail-ymweld â'r porthladd hwn a'i siapiodd,
a chrwydro'r strydoedd tywyll drwy Gaerdydd.

Tafarnau llonydd lle bu'r gân yn llifo,
ar ddiwrnod gêm, a'r Cymoedd wedi dod;
eglwysi gothig hanner-anghofiedig
tu ôl i swyddfeydd disglair Newport Road.

Y coridorau gwag uwch Sgwâr Mount Stuart,
a'r bariau sgleiniog newydd yn y Bae;
y llwybrau cudd na ŵyr neb ond brodorion,
y siopau South Wales Echo wedi cau.

Mae'n mynd mor aml 'n ôl i'w hen gynefin
ar ôl i allwedd cwsg ryddhau ei gell,
ni fedrwn ddianc, hyd yn oed pe mynnwn,
fy ninasyddiaeth anweledig bell.

Anhysbys

27

AMBIWLANS

O rwy'n byw mewn stad o dai
Mae'r adeiladau'n cloi
Fel breichled am y bae,
Wele'r gŵr yn gloff
Y nos ar biga'r drain
Croesi'r ffordd cyn hir
Mi fydd o ar y blaen.

O, o, ambiwlans
O, o, ambiwlans.

Mae pawb yn ceisio gofyn
Beth yw sefyllfa'r ffin;
Bod mewn ystafell unig
A chyllell heb ddim min.
Mae'r ystlum eto'n crïo
Mae'n sugno gwaed y bardd
Mae'n hedfan dros y toeau
Mae'n gorffwys yn yr ardd.

O, o, ambiwlans
O, o, ambiwlans.

Dwyt ti ddim yn rhywiol
Dwyt ti ddim yn gry';
Gawn ni fynd am dro rhyw ben
Gawn ni yrru yn dy gar?
Swn i'n licio deud y gwir
Ond mae'r ofnau yn parhau
Cerbyd cydwybod
A'r drysau 'gyd ar gau.

O, o, ambiwlans
O, o, ambiwlans.

Geraint Jarman

28

Y JYNGL DDYNOL

Ma' stumia'r jyngl ddynol
yn batrwm cyfrin 'nawr,
rhaid mynd ar sgowt
mae'r cap yn ffitio.

Myfyrio wnaf amdanynt
yng ngwyliadwriaethau'r nos
cyn cael fy ngyrru
dros y domen.

Rhaid gofyn am gymorth
gofyn rwyf am gariad newydd
rhaid gofyn am gymorth
ac rwy'n gofyn i ti
ac rwy'n gofyn i ti.

Mae lleisiau tanddaearol
yn gwisgo sodla tal
a'r gwallt yn wyllt
ar hyd y 'sgwydda.

Mae'r slymia yn y jyngl
yn cael eu tynnu i lawr
a'r anifeiliaid
yn yr arch.

Rhaid gofyn am gymorth
gofyn rwyf am gariad newydd
rhaid gofyn am gymorth
ac rwy'n gofyn i ti
ac rwy'n gofyn i ti.

Darparu am y dawnsio
yn ceisio cadw'i draed
a chlychau'r nos
fel nodau Cheina.

Ma' stumia'r jyngl ddynol
yn batrwm cyfrin 'nawr,
rhaid mynd am sgowt
mae'r cap yn ffitio.

Geraint Jarman

SGIP AR DÂN

Sbia'n sydyn tra bod o'n ceisio bod
'n rhywbeth gwrthyn i'w gymeriad
tydio'n ddoniol mor dwyllodrus yw ein gwedd
dwi mewn cariad â dy lygaid.

mor ddienaid yw byddinoedd y gelyn
hen ystrydeb yw trais yn awr.

Sgip ar dân, yn llosgi dan y lleuad lawn
Sgip ar dân, yn llosgi dan y lleuad lawn.

Mae dy falchder yn ofynnol i dy fyd
a dy ffordd yn orfoleddus
mae'r breintiedig yn cael caru yn Gymraeg
ac rwyt tithau yn awyddus.

Cau dy galon mae'r penaethiaid yn gwywo
egwyddorion y defaid du.

Sgip ar dân, yn llosgi dan y lleuad lawn
Sgip ar dân, yn llosgi dan y lleuad lawn.

O lech i lwyn lawr y strydoedd bach cul
dau gi bach yn dal i grwydro
gyrru arni heibio'r helwyr yr awn
un dydd un nos a ffarwelio.

Cefn dydd gola' amgylchiada newydd
byw ar ein bloneg nes daw ein tro.

Sgip ar dân, yn llosgi dan y lleuad lawn
Sgip ar dân, yn llosgi dan y lleuad lawn.

Geraint Jarman

(Yn ystod y 1970au arferai Tich Gwilym chwarae ei gitâr yn y Moon Club, clwb
bychan wedi ei leoli mewn hen warws lysiau. Tu allan i'r warws safai stondinau
pren gwyrdd y farchnad lysiau a ffrwythau a thu ôl i'r stondinau roedd cyfres o
sgipiau llawn sbwriel y dydd. Un noson gosodwyd cynnwys un o'r sgipiau ar dân a
bu rhaid i bawb ymadael â'r clwb ar frys rhag i'r fflamau ein cyrraedd. Digwydd
bod roedd yna leuad lawn ar y noson honno. Erbyn heddiw clamp o westy tal sy'n
sefyll yn y fan lle bu'r Moon Club yn yr Hayes.)

31

Y DDINAS FEL CATH – Y FI FEL LLYGODEN

Yn fy ngwely
'Rwy'n gwrando ar y ddinas
Yn canu'r grwndi
Fel cath fawr,
Yn aros amdanaf
A finnau fel llygoden
Mewn twll yn y tŷ.
Ar y tu allan i'r twll hwn
Y mae temtasiwn
Fel caws neu deisen
Ond dim ond llygoden
Fach wyf i
Ddim yn sylweddoli
Nac yn synhwyro'r peryglon –
Clamp o gath yn siglo'i chynffon
Clamp o gath yw'r ddinas
'Dyw hi ddim yn ymddangos
Yn gas
Pws
Ond mae hi'n dwyllodrus
Ac yn aros
Pan af i ma's –
Chwap!
Ei phawen ar fy mhen
A finnau'n ceisio rhedeg
Â'm cwt yn ei cheg –
Caf fy nhaflu yn yr awyr
Dim ond i ddisgyn ar y llawr
Dan fonclust ei phawen fawr –
Rhyfedda ar fy ngwaed
Fy nghorff bach llwyd
Dan ei thraed
Mae hi'n dwlu ar fy mhoen
Fy llygaid yn popio o 'mhen
Dan lyfiad
Garw ei thafod –
Ar ôl yr ewinedd
Y dannedd

Yn torri i mewn i'm corff llygliw
Yn treiddio i mewn i'r byw,
A hithau'n canu'r grwndi o hyd –
Mae hi'n canu'r grwndi ar hyn o bryd.

Mihangel Morgan

MWYDYN YN Y DDINAS

Dwi'n teimlo'n well yn awr.
Dywedais droeon
mai'r ffaith nad oe'n i'n neb
a'm poenai.

Ond wedi bod yno
yn fwydyn bach
ym môn yr
afal pwdr,
gwelaf fy mod i'n Rhywun,
yma.
Dyna'r broblem.
Rhywun digon bach,
mae'n wir.
Ond mi rydw'i,
o leiaf,
yma.

Ond,
dwi'n teimlo'n well yn awr,
yn glyd
yng ngwres gwlân cotwm
y sicrwydd
a ddaw o wybod
y gallaf eto
ddianc
yno.

I fod yn neb drachefn.

Cris Dafis

CLWB IFOR BACH

Nid maswedd y gyfeddach – nid y gwin
    ond gwerth y gyfeillach,
Y mae gwin sy'n amgenach
Yn stôr yng Nghlwb Ifor Bach.

Dic Jones

GOFAL

(Profodd Aelwyd newydd CF1 lwyddiant mawr
yn Eisteddfod Genedlaethol yr Urdd eleni.)

Yn nhyddynnod y ddinas,
mae'n sôn mawr am noson mâs;
mae'r *Mochyn Du*'n canu'r dydd,
mae'r *Cayo*'n morio cywydd
a chôr yr adar bore
yn harddu'r ffordd i'r *Halfway*.

I guriadau'r gwydrau gwin
dan y sêr â'u dawns werin,
hen gân yn ei hugeiniau
yw'r gerdd dant ar balmant bae:
cân yw hon o'n caeau ni,
cân Taf yn acen Teifi.

Yn nwst ein tyddynnod ni,
'sdim sôn uwch afon Teifi
am gywydd ac am gaeau,
am lond bar o'r adar iau.
Eiddo'r frân yw'r gân a'r gŵys,
a'i hetifedd yw Tafwys.

Ceri Wyn Jones

(Mae'r *Mochyn Du*, y *Cayo Arms* a'r *Halfway Inn* yn dafarnau poblogaidd gyda'r
Cymry Cymraeg yng Nghaerdydd.)

36

GLAW YNG NGHAERDYDD

Glawiodd drwy'r nos
glawiodd dair noson.
Codwyd y carpedi.
Llithrodd yr afon
yn dawel
hyd heolydd y ddinas
artiffisial,
gan siffrwd,
o, mor dyner
wrth y drysau gloyw.
Gluogrwydd du,
lliw pridd, lliw mwd,
yn llithro dan
y drws
a hanner ffordd
lan y grisiau.
Gweddïodd Mrs Jones,
'O Dduw, stopia'r glaw.'
Rhegodd Mr Jones
y dodrefn a gariodd
i'r llofft.
Stopiodd y glaw,
anghofiodd Mrs Jones am Dduw
a meddyliodd am bapur wal
Sanderson.
Daliodd Mr Jones i regi
a hanner hiraethodd
y lletywr gwladaidd
wrth weld
duw'r afon
yn gwrthgilio.

Nest Lloyd

AC AM EILIAD RWY'N DDALL

Diwedd dydd
yng nghanol dinas,
glaw anghyson yn staenio'r

pafin 'run lliw â betys,
ac wrth gerdded i fyny
Heol y Frenhines
teimla'r corff yn oer
a'r enaid yn anfodlon.

Syllaf i'r sŵn,
agor a chau fy ngheg
fel pysgodyn mewn bowlen.
Deud dim, dyna sydd orau.

Troi i gyfeiriad Ffordd y Brenin,
gweld yr haul yn cysgodi'r
adeiladau distaw,
y traffig yn meddiannu'r gorwel oren;

ac am eiliad rwy'n ddall.

Geraint Jarman

CAERDYDD, 1984

Mae oglau bragu ar y barrug
a'r bore'n oer
minnau'n methu cyfleu
y graith o'th golli:

dy golli i'r clecs a'r celwyddau
sy'n cynnal y drefn,
y penawdau pedair llythyren
sy ar werth gyda'r bingo:

pawb ar ei ynys ei hun
â broc y teledu
wedi hen anobeithio
am y llong a'i gollyngai:

a thithau hefyd yn credu'r
gwylanod a'r gwymon
a minnau'n dy golli,
yn rhoi min ar y gyllell.

Iwan Llwyd

YN NHREGANNA HENO

Yn araf heno
y gwisgodd yr haul ei byjamas,
yn araf a phwyllog
cyn mynd i glwydo
i glydwch ei glustogau brwnt
a chysgu'n drwm braf.
Mae'n dawel yn Nhreganna heno.

Ond yng nghlydwch ei freuddwydion
holltodd ei galon
ac yn araf a phwyllog y disgynnodd y dagrau
i wlychu'i glustogau
a'r wylofain yn codi'n gresiendo
a'i ochneidiau'n cleisio'n ffenestri
cyn syrthio'n ôl i drwmgwsg tawel.

Mae'n dawel yn Nhreganna heno.

Llinos Angharad

CANOLFAN SIOPA DEWI SANT

Codwyd adeilad helaeth
dan enw Dewi Sant
yn ein prifddinas ni.
Cewch gerdded mewn clwysty
ar un ochr iddo
a sbïo ar lwydni'r hen eglwys gadeiriol
gerllaw.
Enw Dewi sydd ar honno hefyd,
ond mae'n llawer llai enwog,
a llawer llai sgleiniog
na'i chymydog newydd.

Yr ochr draw i'r drysau trwm
cewch brofi tir bendithion,
lle mae persawr yn yr awyr,
swynol nodau cerdd a dyfroedd byw.
Dan uchel eang wydrog do
mae allorau a lloriau llyfn,
ac ar bob tu
ceir trysorfeydd sy'n llawn prydferthwch
a gogoniant.
Dyma nefoedd o bryniadau,
dyma bwyslais ar yr hyn sy'n dda –
o deisennau hufen moethus mawr
i berlau a diemwntau drud.
Gwyrthiol o dda yw'r gwerthiant.

A'r cwbl dan enw Dewi Sant.

Beth ddywedai Dewi, tybed,
am y lle?
Ein hatgoffa am y pethau bychain
a welsom
ac a glywsom
ganddo fe?

Gilbert Ruddock

41

CANOLFAN SIOPA DEWI SANT

Drws i warws y werin a egyr
  Fel ogof Aladin;
Mae moethau'n llond pob stondin
Yn bwn braf, neb yn brin.

John Wood

NADOLIG CAERDYDD

Fel hyn roedd hi 'Methlehem:

swn cân a chyfeddach
a chleber y pedleriaid
yn tynnu dŵr o'r dannedd,

yn nofio uwch y dyrfa
sy'n rhuthro a chythru gyda'r lli
o siop i siop,

o dafarn i dafarn,
a chwyno a chrïo'r plant
yn atsain ym mhen mamau:

ffrae rhwng ffrindiau a chusan hir,
a than lygaid y plismyn
hogia'r wlad yn dyrnu gwario:

i ganol hyn daeth baban,
i dagfa'r ystadegau
a chyfraith a chyfrifiad

a llog a chyflog
a chyfle'n llithro
fel y dyddiau drwy'r dwylo:

i ganol y bwrlwm daeth baban
yn sgrech unig yn sgubor
tosturi rhyw westeiwr,

darn o'r sêr yn y gwellt gwlyb
a gwrid y gwin a'r groes
eisoes yn ei fochau bach:

i fyd yr archfarchnadoedd
daeth i ninnau yn nhyrfau'r nos
siawns i gyffwrdd â'r sêr.

Iwan Llwyd

43

BWS 153 I WAELOD-Y-GARTH

Ar fws yr Aes, wyt ti'n cofio?
Cael gweld y 'Dolig yn dryloyw,
A'th lygaid yn wayw drwy'r gwydr
A'r seddi brownion, budr.

Ar fws yr Aes yn sbïo, yn araf
Synfyfyrio a phob bol yn
Uno, blonegog balmant
Rhagfyr wrthi'n sigo.

Ar drothwy'r deuddeg nesaf,
Un llais sy'n brwydro â'r lleill
A llachar olau'r tinsel rhad
Yn wychach na'r sêr.

Ar fws yr Aes, yn fwstwr,
Ar ras i dwn i'm ble
Ac acenion Caerdydd yn floesg,
Yn glwstwr am dy glustie.

Catrin Dafydd

SACS

Un diwrnod fel Sadyrnau
hen-ffasiwn pan oeddwn iau,
â'r haul yn serio'r hewlydd,
yn gyrru'i dân drwy Gaerdydd,
a hi'n brynhawn berw'n hwyr,
seiniodd ar gyrion synnwyr
alaw sacs; anadl o sŵn
cynnil fel llais ci Annwn,
fel neidr fêl o nodau
yn llithro, gwingo a gwau;
rhwygo triog tew'r awyr
yn llafn dawel ddirgel ddur
o chwant hyd y palmant poeth
drywanai frys di-drannoeth
y ddinas; trwy balasau
yr arcêds ar amser cau
heb ei weld, fel dewin bu
y miwsig yn tresmasu,
a sleifio'n flŵs hylifol
dan ddrysau'r banciau, heb ôl
o'i alaw fain cŵl a fu
fel enaid cyn diflannu,
ond nwyon blin y ddinas
am ein sodlau'n glymau glas
yn darnio'r holl Sadyrnau
hen-ffasiwn pan oeddwn iau.

Emyr Lewis

45

CAFFE'R HAYES – CAERDYDD

ble chi'n bilongin 'te?
Aberyshwelife?
jew chi'n gwpot am y strît?
beth o'dd e strît?
o'n ni'n byw 'na
pwy gapel 'te?
wel jiw a fi
wi'm yn myn nawr
bechot ie
leish yn gwishgo fel wimymbo
ishe arian i fyni'r capel 'eddi o's?
ishe arian i 'natlu

shishgishotwch fi
cwpwl o drincsh gweud gormod
fachan neish
neb yn barod i ryndo 'eddi
'im amsher i bisho whaith
byw lan yn Ponty nawr
Tom Jonesssh ie
na chi laish
be fe'n diuno capel shwt?
jiw Aberweljiw
jiw

mae'r gŵr weti myn chwel
Aberysh . . .
blwyddyn nawr lyf

weti myn

John Rowlands

AR YNYS YR HAYES

(Cyfieithiad o *On Hayes Island* o'r gyfres *Life under Thatcher*,
gan John Tripp)

Dan awyr lwyd galed
mae'r colomennod yn crynhoi am friwsion,
a minnau'n sythu wrth ford fetel
uwchben to'r tai bach,
yn hen ddisgwyl i rywbeth ddigwydd,
heb deimlo'n fflonsh o gwbl
ar fin cyllell y gaeaf.

Dyma Montmartre Caerdydd
heb y gwin, heb y sgwrs.
Gellwch brynu gwin tros gownter
a'i lyncu'n ddiymyrraeth ar fainc,
ond nid oes brynu ar sgwrs.
Dyma *rendezvous* y clystyrau anghenus
sy'n trigo ar incil y dibyn.

Yn llesg, taro fy esgid
ar stania grid y tŷ bach
wrth lygadu menywod hynod De Cymru
yn gweu ar draws ynys Yr Hayes,
ar berwyl pendant yn ôl pob golwg,
mor ddwys gyda'u llwythi siopa.

Cloc Eglwys Sant Ioan yn taro pump,
wrth i'r glaw mân ddwysáu'r cyfnos,
ac i'r caban te gau am y nos.
Erbyn hyn, fe gafodd hyd yn oed y colomennod
lond bola,
a hedfan i Splott . . .

                                        T. James Jones

DAN GYSGOD JOHN BACHELOR –
'THE FRIEND OF FREEDOM'

Y mae burum y bore'n
mentro i ysgafndroedio'r dre,
a thrwy'r Aes, mae iaith yr haf
yn daer, yn sibrwd araf,
yn dy alw i'w dilyn –
ti a mi i'r man lle myn.

Ac ar daith drwy'r hen Gaerdydd,
drwy'r dre nad yw ar drywydd
yr haul, mae geiriau'i halaw'n
dweud o hyd am stryd nes draw.

Rhwng drws a drws, mae 'na dre
na ŵyr am nos na bore,
tre dawel y twneli
un na wêl ond rhai fel ni,
un a'i hacen yn eco
a'i stori gyfan dan do.

A'r haf yn sgubo drwy'r Aes,
yn odli llwch hen adlais,
yn arcêd y creiriau cudd
down ni at ryddid newydd.

Mererid Hopwood

YR AES

Awel Ionawr fileinig,
eira mân yn chwarae mig
rhwng llafnau y golau gwan,
rhwydwaith y lampau trydan.

Dynion mewn ceir diwyneb
fel malwod, yn 'nabod neb,
dynion neis, gwâr, dinesig
ar frys yn llif yr awr frig,
linell am linell ymlaen,
dewrion y strydoedd diraen,
heibio'r sêls yn ddiberswâd,
yn gyrru'n ôl at gariad.

Sych heno peswch henaint:
gafael cadarn haearn haint
fel gefel mewn ysgyfaint.
Egar yw gwasgu agos
y pinsiwrn yn nwrn y nos.
Mae o'n oer, mae o'n aros.
Yng nghanol ei guwch solet
yn grimp y mae sigarèt
yn dân o hyd dan ei het.
Rhwygo brwnt y barrug brau
yn iasoer ar ei goesau,
a llwydrew'n startsio'r llodrau,
yn brathu'r croen drwy'r brethyn
sy'n frau a thenau a thynn:
yntau ar goll fel plentyn.

Dyma gaethglud y mudion
heb lais yn eu Babilon.
Gobaith yw'r car sy'n gwibio,
cwrs ar hyd tarmac y co'
i wal frics. Mae awel fraith
uffern y strydoedd diffaith
yn adnabod anobaith.

Emyr Lewis

49

ESGIDIAU NEWYDD

Ymbil am ymbrela.
Caerdydd, ac un claf
Yn glywaith o gyfalaf,
Ac addewid un haf
Ymhlyg ym mhob gaeaf.

Dail glaw yn pwytho'r
Co, un ddinas yn
Ddawns goncrit.
Esgid newydd am bob troed
A gwên banana ynof.

Un trên, fy hafau hy
Yn wancus, wincio'n wlyb
A Chaerdydd sadyrnaidd
Yn suddo'n ddyfnach,
Ddyfnach i'm ddoe i.

Pen-ôl y car yn drwm
A sodlau'r dydd ar
Ddarfod, daw llygaid llo'r
Ffenest ôl i ddweud
Ta-ta i'r tarmac.

Catrin Dafydd

CÂN IONAWR

Croeso
   i'r flwyddyn newydd!
Tybed,
          ble'r aeth yr hen un?
Daeth cawod o eira a'i llethu.

Mae unrhywbeth yn bosibl.
Mae'r ffaith fy mod yn fyw o hyd
yn ategu hyn.

Mae drws yn agor o'm blaen –
gwell gennyf gamgymeriadau newydd
na blas sicrwydd yn fy ngheg,
blas y blynyddoedd a fu.

Mae rhywbeth newydd yn dechre,
    fel cri o'r gwyll,
rhywbeth newydd,
      ffynhonnau'r dychymyg
     a'r galon;

yma
mewn hen stryd,
dyna lle rwy'n byw,
Alfred St.
stryd Saesneg
mewn dinas Saesneg;
Caerdydd,
prifddinas Cymru,
dyna lle rwy'n byw,
byw mewn gwacter,
yn chwilio am gariad.

Mae'r tymhorau'n anodd mewn dinas,
   yn enwedig tymhorau'r galon
   am fod tymheredd y galon
        yn newid,
bob munud, bob dydd, bob mis . . .

ac mae'r strydoedd yn parhau
ac yn parhau
a does dim dianc rhagddynt
ac mae pob stryd yn rhan o'r briffordd
ac mae'r briffordd yn arwain i
ddinas arall
ac un arall . . .
a does dim dianc rhagddynt.

A rhwng hyn oll
mae'r flwyddyn yn agor
yn y tywyllwch golau,
blwyddyn newydd i garu, i dwyllo,
i gasáu, i feddwi, i benderfynu,
i fod yn hapus, i atgyweiro, i gyfri
dagrau, i ddweud celwydd, i falu rwtch,
i greu ac i dynnu lawr . . .

teimladau na wyddem amdanynt
mawredd y pethau bach . . .

a rhwng hyn oll
mae'r gerdd
yn blaguro.

Geraint Jarman

PENYD Y BARDD

Pan own-i'n llanc yn nhre Caerdydd
  dwy boen ddi-fudd a'm blinai;
y naill oedd cerydd cyni'r tlawd,
  a'r llall oedd rhawd fy siwrnai.

Dan faich dyledwyr chwerw'r dôl,
  dygwn ddirprwyol benyd;
wrth ymblesera ym Mharc y Rhath,
  fe glyw-wn frath eu hadfyd.

Ond mynnwn wedyn drin fy ngardd
  a thyfu'n fardd i'r almon,
a chreu ar gân ryw fyd di-graith
  yn berffaith o'm breuddwydion.

Breuddwydion sydd wrth graidd y byd –
  gwyn fyd a'u gwelo'n greiriau!
Ond ar y bardd gosododd Duw
  y boen o'u byw mewn geiriau.

Alun Llywelyn-Williams

53

Y DYWYSOGAETH

(i Wil)

Cerddodd angau'r ffordd hyn
yng nghwsg y bore,
ac ôl ei gam yn goch yn y gwlith:

heibio i'r Ganolfan Waith,
Swyddfa'r Heddlu a'r Swyddfa Gymreig
a gadael corff yn gwaedu'n
nrws y 'Principality':

dim ond llofruddiaeth arall
ar gyffordd tywyll dinas,
a'r gyllell a'r cymhelliad
ar goll dan sbwriel penwythnos y Gêm:

rhyw eco gyda'r hwyr,
llinell neu ddwy ar gwr penawdau'r dydd,
a daw helynt yr wythnos
i'w sgubo'n angof
gyda'r cydau tsips a'r caniau:

wedi'r cyfan
rhywbeth personol iawn
oedd y trywaniad a dywalltodd
ymysgaroedd yn slwts ar y stryd,
'dydi angau un dyn
ddim yn rhan o'n hunllefau bras:

mae i'n diffyg cwsg ni
ei ofnau dyfnach
fel lleoliad y fannod,
anghenion y gynghanedd
neu wyryfdod iaith:

y ffobias cenedlaethol
sy'n trymlwytho colofnau
tra bod angau'n sleifio heibio
heb i ni sylwi.

Iwan Llwyd

CLYWED AM LOFRUDDIAETH
A MYND HEIBIO I'R TŶ

(yn agos i Stryd Cyfarthfa, Caerdydd)

Hon oedd fy llofruddiaeth gyntaf.
Nid oedd i'r un a fu'n
byw yno nod ond ei ladd:
roedd marw'n dyrchafu'r dyn

ddau ganllath 'wrth fy nhŷ,
ac eto'n anhysbys fud.
Ofnwn y cripian nes:
trawsffurfiwyd brics y stryd,

trawsffurfiwyd brics y byd,
drws llwyd, ffenestri llwyd
gan bresenoldeb llid,
gan absenoldeb nwyd.

Myfi oedd biau hon.
Beth bynnag arall a wnaed
ledled y ddinas fe'm
perchnogwyd gan felltith waed

y fan a fu ar ymyl
pob sylw, na fu'n bod
ynghynt, ond a lanwyd â phlwm
gan drwm ddisgyrchu fy rhod.

A delwai fy chwech oed
yn ôl drwy syndod tyst,
y dydd a anrhydeddwyd
gan ofnadwyaeth ust.

Bobi Jones

LAVERNOCK

Gwaun a môr, cân ehedydd
yn esgyn drwy libart y gwynt,
ninnau'n sefyll i wrando
fel y gwrandawem gynt.

Be' sy'n aros, pa gyfoeth,
wedi helbulon ein hynt?
Gwaun a môr, cân ehedydd
yn disgyn o libart y gwynt.

Saunders Lewis

TRIBANNAU MORGANNWG

Y mae Llandaf hynafol
Yn ddinas fach esgobol,
Ond rhaid im dystio, ar fy ngair,
Mae yno ffair uffernol.

Anhysbys

Y tri lle oera 'Nghymru
Yw mynydd bach y Rhydri,
Twyn-y-garth a Chefan-onn
Lle buo i bron â sythu.

Anhysbys

Paid byth â mynd ar amnaid
I fysg ymladdwyr diriaid
Yn ffair Llandaf; oddi yno cyrch
Wa'th gwŷr Pen-tyrch yw'r diawliaid.

Anhysbys

Mae merched glân yn Nhyllgo'd,
Ac yn Llandaf rhai hynod,
Ac yn y Caera aml rai,
Ond yn Nhrelái'r clecïod.

Siams Twrbil

TRIBANNAU

Roedd Ynys yn y Barri
Yn nyddiau Williams Parri.
Tyrrant o hyd yn ffôl a chall, –
Oes arall yn ei siarri.

Porthcawl! lle daw'r awelon
O'r de yn falmaidd dirion;
Bron nad yw'r rhain, ond ichi'u dal,
Yn sisial iaith y Saeson.

Islwyn a ganodd iddi,
Deg ardal ger y glasli;
Minnau yn fwy bob tro yr af
A garaf Ffontygeri.

Dwy adain clomen sidan
Oedd gynt mewn hedd yn hedfan;
Heddiw eryrod dur y Fro
Sy'n teithio dros Sain Tathan.

Lle'r oedd tangnefedd rywdro
Mae'r myrddiwn ceir yn gwibio;
Pwerdy a pheilon lordia'n braf
Dawelaf henwlad Iolo.

Lle moriai Mathews yntau
Ar iaith yr Efengylau,
Wel, gyda hi dros orwel llwyd
Y gwthiwyd ei bregethau.

Rwy'n caru'r ddinas ddillyn,
Ond gwell gen i o dipyn
Yw llwybrau'r wlad yn anad dim,
Hoff le im yw Trefflemin.

Cyrhaeddodd y jet brysur
Ein Bro mewn sŵn didostur;
Caeir pob ffenest a phob drws
Pan rua o'r Rhws i'r asur.

58

Os Gwlad yr Haf sy'n ole
A chlir y tai a'r cloddie,
Mi wn y bydd, awn ar fy llw,
Yn bwrw cyn y bore.

Sir yw a gafodd gilwg
Am gymoedd llwm a dufwg,
Ond er hyn mae byw yn braf
Ym Mro geinaf Morgannwg.

O degwch Ceredigion
Trois gynt yn bendrist ddigon.
Heddiw aeth arall Fro'n ddi-au
I giliau mewna'r galon.

A mwy tra pery 'nyddiau
Bydd brwydyr rhyngddynt weithiau;
Fy nhynnu rhagor bydd dwy fro
A chydio'n fy serchiadau.

J. M. Edwards

YR AMGUEDDFA WERIN

Yma
a welwch chi'r gorffennol yn gorffwys
yn y tolldy, y bwthyn a'r capel
yn barod i adrodd stori.

Rhwng pedair wal y tolldy beiddgar
mae pryder cyfnod Beca
i'w weld yn pwyso'n drwm
ar y ceidwad.

Ym mwthyn Llanfadyn cewch eto
arogli'r swper chwarel
a gododd galon chwarelwr blinedig
ar ddiwrnod gwlyb a chaled
yn Chwarel y Cilgwyn.

Mae'r Crist wedi dweud
'Myfi yw bara'r bywyd';
yng nghapel Pen-Rhiw,
cewch eto ailwrando
Ei idiomau a Dameg y Gwynfydau.

Oedwch ennyd
i glustfeinio ar ddoe.

Dafydd Islwyn

SAIN FFAGAN

Bu'n fwthyn, rywle, unwaith; – do, cariwyd
   Y cerrig yn berffaith;
  Adeilad ydyw eilwaith
  Ond wedi mynd y mae'i iaith.

Hendre'r Dail
(enillydd cystadleuaeth englyn Barddas 1997)

Y GEGIN GYNT YN YR AMGUEDDFA GENEDLAETHOL

Araf y tipia'r cloc yr oriau meithion,
distaw yw'r droell wedi'r nyddu'n awr,
tawel yw'r baban dan ei gwrlid weithion,
nid oes a blygo tros y Beibil mawr.
Mae'r dresal loyw yn llawn o lestri gleision,
a'r tsieni yn y cwpwrdd bach i gyd,
ffiolau ar ford yn disgwyl cwmni'r gweision,
a'r tecell bach, er hynny, yn hollol fud.
A ddowch chwi i mewn, hen bobol, eto i'ch cegin,
o'r ffald a'r beudy llawn, o drin y cnwd?
(Brysia, fy morwyn fach i, dwg y fegin
i ennyn fflamau yn y fawnen frwd).
   Nid oes a'm hetyb ond tipiadau'r cloc,
   ai oddi cartref pawb . . . dic doc, dic doc.

Iorwerth Peate

DWY AFON

Y mae dwy afon. Er troi ohonynt hwy
Ar groesbwynt drafael, llifant yn ddwy gytûn
Bellach drwy ddolydd fy mlynyddoedd oll.

O'r unrhyw galon graig y deffry'r rhain
I'w dyddiol daith, – Wyre i'w bae yn bur
A Thaf i fraich o lwydfor parth â'r de.

Hen afon Cwm Ieuenctid! Glân fel y glaw
Ond pan ar dro y cleisiai'r storm hi â'i staen.
Eithr buan y canai fyrdwn gloywdinc drachefn.

Wrth hon y tyfais iaith oedd â'i geiriau'n groyw
Fel ei dyfroedd arian pur rhwng helyg Mai.
Hi a delynegai'n fore gyda mi.

Gwarchodai'r bryniau llyfndrum dan haf eu gwisg
O bobtu'i hynt, ymbincient ynddi'n falch,
A'i llygaid a ddawnsiai is coed yn rhwydi'r haul.

Eilwaith drwy dwnnel tewfrig neu ddôl wastadwerdd
O Felin-y-cwm i'r Morfa hamddenai'n hir,
A gwialen llanc a'i bwâi o Fawrth i Fedi.
Lapiwn ddiflastod y byd yng ngwawn y llwyni
A'i yrru gyda'r ffrydlif i anghofrwydd môr.

★   ★   ★

Ond deuthum at afon arall yn y man, –
Mae'n gorwedd yno ar wely cul ei thwymyn
A du hadau ei diwydiant yn ei llwnc yn llesg.
Dwys yw ei chwynfan a chyn llithro i'r lli
Poera ei thrais yn brotest chwydlyd iddo.

Bu iddi hithau ei gwawr, gwiwer a gwig
O'r geulan i'r brig a welai, cyn dod dydd
Yr ymlid erch a cholli o'i thir ei acen
Dros gilwg y bryniau parddu newydd a'r llwch.

63

Try hylif halog ffatri a ffos ei glannau
Yn gancr ar wefusau'r traethau trist.

Ar aeliau'r culgwm tremia i'r blychau unffurf,
Gwêl lafar denantiaid drysau cefn ei bro,
Yna myrdd wynebau'r ddieithr ddinas. Ond di-ddeiliad hi.

Dwy afon imi sydd. Drwg gennyf dros y naill
Oni syrthio eilwaith lesni ei hwybren iddi
A gweled o ddyn ei gywilydd yn ei drych drachefn.
A'r llall boed risial fyth dros ro fy mhobl
Lle'u rhoed mewn cylchfur ger ei murmur maith.

J. M. Edwards

HAF YN Y DDINAS

I

Anniddig ydyw'r awel
   Sy'n chwythu heibio i'm drws,
Wrth frysio i'r weirglodd dawel
   A'r meysydd meillion tlws;
Aflonydd yw'r cymylau
   Sy'n hwylio ymhell uwchben,
Gan geisio pell banylau
   Bro hud hen Ddyfi wen.

II

Mae swniog gŷn ar bared,
   A thrydar ceir ar stryd,
Ac nid oes dim a'm gwared
   O ormes lleisiau'r byd.
Mae'n hyawdl wifrau'r heol,
   A chryndod glaw ar fur:
Ni phaid eu cwyn di-reol,
   Ni thau'r tafodau dur.

III

Ys gwn a grefa meini
   A haearn am Fwlch Gwyn,
A suon ffrydiau heini
   Nant Clegyr wrth Lan-llyn,
Nes ysu'n fflam eu hanfod,
   A throi o'u hing yn llef,
Megis myfi wrth ganfod
   Yr haul ar balmant tref?

Iorwerth Peate

CALIFFORNIA

(Caerdydd a'r Cymoedd)

Dyma oedd ein Califfornia ni,
y tiroedd yr oeddem ar ruthr i'w torri,
i gracio'r gragen a chanfod perl,
yr aur du, budr, yng ngwaelod y badell,
y wythïen fyw dan groen marw'r graig:

a thros ganrif y digonedd
hedem yma, yn heidiau'n mudo
o goed Rhydcymerau,
o gymoedd bychain gwaelod Ceredigion,
o drefi caled y llechi

a mawnogydd Meirionnydd a Môn,
o Daf i Daf i godi'r Gaersalem newydd
yn derasau ar lethrau'r cymoedd,
ac ar lannau'r afonydd a'r camlesi
a gludai'r golud tua'r gorwel:

ac ym merw'r acenion a'r tafodieithoedd,
yr huodledd a'r dadleuon,
gweithiwyd diwylliant a breuddwydion,
yn emyn a chymanfa, yn werin a chyfrinfa,
yn gôr o leisiau, yn un bobol:

ac ar yr arfordir,
lle llifai'r cyfoeth i'r pedwar gwynt,
San Ffransisco'r de, lle toddai'r lliwiau,
o Gymru, Iwerddon, Tseina ac ynysoedd y Caribî
yng nghrochan amryliw Tiger Bay:

dyma oedd ein Califfornia ni:
ond rhwygwyd y perlau a'r aur oddi arnom,
bellach does ond cregyn gweigion
yn pydru yn sgerbydau hen longau,
coelcerthi oerion yw Seion a Bethlehem a Sardis

am yn ail â'r siopau cardod a'r siopau fideo,
ac ar y draffordd sy'n cyfeirio heibio'r cymoedd
mae arwyddion llachar Amgueddfa'r Pwll
ac Amgueddfa'r Werin, ac Amgueddfa'r Cymoedd:
hamdden lle bu cyd-ddyheu: ddoe lle bu cynnydd yn dduw:

torrwyd bwlefard trwy Tiger Bay,
boddwyd y blŵs yn y bae pleser:
ond er gwaethaf y rhaib, y diweithdra a'r crebachu
mae 'na falchder o hyd,
yn loyw fel stepen drws,

yn llun gwraig ar ei gliniau
yn canu ei chân wrth lanhau,
yn ei chwman heddiw yn dweud ei hanes,
o'i dd'wedyd, hanes ddoe ydyw:
mae fory mor lân â'r stepen, yn adlewyrchu

canrif arall yn nhaith Caerdydd a'r cymoedd du,
a'r crochan yn dal i ffrwtian,
yn dal i doddi'r mwynau'n ffrwd amryliw,
i dasgu'r ieithoedd yn ffwrnes y presennol:
lle bu'r blychau gweigion yn bwrw'u cysgodion prudd
heddiw mae temlau Mwhamad yn cynnal fflam y ffydd.

Iwan Llwyd

67

AFON TAF

Afon â'i halaw'n llifo, afon bur,
    afon bert yn pyncio'n
    bêr ei hiaith ar hyd ein bro
    fu hon nes ei difwyno.

Hydreiddiodd y budreddi yn ddüwch
    anaddawol drwyddi;
    gan chwerwedd llygredd ei lli,
    difwrlwm ei diferli.

A hithau yn llifo'n llonydd, lluniau
    hen ben-llanw ei chynnydd
    yn stribedi siabi sydd
    yn glynu hyd ei glennydd.

Dreng afon, un fudr anghyfiaith yw Taf;
    eto hyn yw'n gobaith –
    y daw, â'i halaw eilwaith
    yn y tir, yn bert ei hiaith,
a pharabl hoff y werin i'w glywed
    yn gloywi'i chynefin
    am mai'i hiaith sydd ar ei min
    yn iach wyrthiol yn chwerthin.

T. Arfon Williams

PARCH

(i Glenys Kinnock ac Eluned Morgan a wrthododd siarad Cymraeg
    gyda chriw o fyfyrwyr Ysgol Glan Taf ar ymweliad â Brwsel)

Ymhell o Gaergybi, ymhell o Gaerdydd
tlodion y ddaear, globaleiddio sydd
loes calon i ni, wleidyddion y dydd.

Wfft i chithau a'ch plwyfoldeb prudd
yn sôn am sawl Batagonia gudd
rhwng Andes Caergybi a Phorth Madryn Caerdydd.

Mae'r gwledydd yn gwrando, ac rydan ni'n rhydd
rhag gorfod cyboli ein geiriau er budd
hen bobol Caergybi ac ieuenctid Caerdydd.

Dros orwelion ein gofal, byd-eang yw'n ffydd
wrth setlo stormydd gwaeth na'r rhai sydd
yng nghymylau Caergybi a glaw Caerdydd.

Ac wrth gael echel y byd i droi'n well
a thafoli hawliau pobol bell,
danfonwn chithau yn ôl i'ch cell

am feiddio mwydro gwleidyddion y dydd
gyda'r baich o broblemau sydd
ar Ayers Rock Caergybi, Wounded Knee Caerdydd.

Myrddin ap Dafydd

CYMRAEG CAERDYDD

(Elfyn: Park Place)

Mae'n blanhigyn sy'n deilio mor fras â menyn
ond heb fwrw gwreiddiau dyfnion,
er gwaethaf fforchiad cyson o flawd esgyrn o'r Fro,
lle mae'r Beiblau'n cael eu cario allan,
lle mae sgwrs yn troi'n amgueddfa,
lle mae brawddegau'n braenaru,
a lle mae'r byw
a'r iaith
yn gynyddol fain.

Ifor ap Glyn

CARDIFF BORN

Mae'n Hydref, a lliw efydd
yw'r dail ar strydoedd Caerdydd,
dail brown yn crensian canu
eu tiwn ar y palmant du.

Hydref o hyd, a'r haf aur
ymhell, rhywle ym mhyllau'r
graig, mor wag ac ar agor
â chragen las, mas fel môr
ar drai; daeth tymor y dref
a'i ddadrith – galwodd Hydref.

Mor wag yw Pontïago
a mi'n y dre, cartre'r co
yw'n unig, dim ond enw,
a mi'n un ohonyn 'nhw'.

Adre wir? Wrth fynd am dro
haul hiraeth sy'n disgleirio'n
Llandaf, ac wrth i'r afon
yn ddawns hardd trwy'r ddinas hon
fy hudo, gwelaf wedyn
fy nhref i, fy nhir fy hun,
ac o'i weld daw dagrau'r gwir
i halltu fesul milltir
y daith hyd strydoedd Caerdydd –
fe hawliaf ei heolydd.

Heno, dal i bendilio
wnaf i o raid rhwng dwy fro,
yn yr iaith na fedr yr un,
yn eithriad yn ddieithryn.

Ond nid ar goll yn hollol –
mae 'na ran mi wn ar ôl,
rhyw ran fach o'r hyn wyf i
yn aros mewn dwy stori.

Mererid Hopwood

YR EGLWYS NEWYDD, CAERDYDD

Ysgymun-bynciau'r ysgol
Oedd Crefydd, Cymraeg a Rhyw.
Roedd Rhyw yn fater sibrwd
Dan ddesg tu hwnt i glyw,
Ond am Gymraeg a Chrefydd,
Roedd 'rhain yn wersi gwag,
Pob un â'i bôs-croeseiriau
Neu nofel yn ddi-nag.

Edrychwn drwy'r ffenestri
Yn ystod gwersi'r haf
At resi hir o boplys,
Dwy ale ddeiliog, braf,
Yn amgylchynu'r ysgol
Rhag gweled ffyrdd y byd,
Y tai a'r llan a'r fynwent
Yn anweladwy i gyd.

Ond pan ddôi gwersi'r hydref
Fe gwympai'r gorchudd bant,
Cawn weld drwy chwipiau'r poplys
Y beddau gwynion gant,
A gwylio cloddio'r clochydd
A'r domen bridd yn goch,
Y fintai ddu'n ymlusgo
I drawiad cnul y gloch.

A thrannoeth yn y llwydrew
Fe fyddai'n fedydd plant
Neu'n dyrru at briodas
Ac yna'n angladd sant,
Peth angau a pheth einioes,
Yn wers o sail i sail,
A minnau'n dwys fyfyrio
Camp dysgu cwymp y dail.

Prys Morgan

TRI DARLLENIAD TRYCHINEBUS YNYS PRYDAIN
RHIF 1: CAERDYDD 1989

Chapter 1989
Canolfan Celfyddydau
ym mhrifddinas Cymru;
a darganfûm fy mod
yn rhan o 'noson *ryng*-wladol'
yn fy ngwlad fy hun,
yn rhannu'r *right-on* gymeradwyaeth
hefo rhyw Romanian o fardd
o Lundan;
Bogdan ap Glyn, neu rwbath . . .

Ro'n i felly'n un o'r egsotica
ac roedd 'na gling-ffilm
rhyngof i a'r gynulleidfa,
naill ai i 'nghadw inna'n ffres
neu i gadw ogla'r Gymraeg
rhag lledu trwy weddill y ffrij . . .

Roedd o fel mynd i'r ardd gefn
a ffendio llond bws o dwristiaid
yn codi dy datws fel swfenîrs

    – *Y'all wanna talk some Welsh at us here bo'?*
    – *Play us some rug-bee!*
    – *Show us yore teeth!*
*Say! Ken y'all juggle with **fahve** pieces of bayra breeth?*
    – *Show us how y'all make them thar **traditional** shawls
outa chicken wool!*
– *Shee-it! Ah didn' even know chickens **had** wool!*
– *Sgynnon nhw ddim*
– *What you say bo'?*
–*They haven't any*
–*Thelma! Git back on the bus!*

Ond 'nôl yn Chapter ro'n i'n wynebu cynulleidfa
oedd yn Gymry (gan eu bod i gyd yn byw yma)
oedd yn gweld pob diwylliant fel picnic fyrdda
er byth yn ystyried mynd atynt i fyta,

(ond diawl! maen nhw'n betha handi anghyffredin
i'r rhain, fatha gwartheg,
grafu'u tina yn eu herbyn . . .)

Rhyngwladol Schmyngwladol,
mae'r Gymraeg jest yn *normal* . . .

Ifor ap Glyn

CWESTIYNAU

(er parch i Gymry newydd Caerdydd)

Fi'n dodo Cardiff
fi yn?
So I'm a bit stiff
ar y treiglo
a'r berf cryno?
A sai rili
yn dwlu
am cerdd dant
a gweld plant
mewn pointy hats
and all that?
I can't see the point I can't.

Ond yn calon fi,
believe me,
os fi ddim yn gallu
siarad fel Cymry,
fel ti yn
yn Dyffryn Aeryn,
fi still yn gwybod
so fi'n Saesod –
fi'n Gymro,
achos na ble fi'n dodo.

So nei di
gadel fi
mewn i
Cymru ti?

Oreit?!

Mererid Hopwood

Y DAITH

Chwe blwydd oed a deëllais dric
olwynion, ar y daith o'r tŷ
at yr ysgol, sylweddolais mai fi

oedd yn llonydd ac nid y stryd
na'r gerddi na'r siopau a ruthrai o'm blaen
wrth i ni deithio'n y siarabang.

Roedd yr olygfa'n symud yn llyfn,
yn ffuglen o newid cyfeiriad, troi.
Heibio'r âi golch ar y lein, y toeau

cyfarwydd ar ongl serth wrth y rhiw.
Gwyddwn fod teithio'n gelwydd i gyd,
gan mai fi oedd bogail olwyn y byd,

brenhines y canol. Fy ngwaith i oedd gweld
beth a ddôi heibio – boed yn dywydd neu'n wlad –
a dysgu derbyn gyda mawrhad

osgordd cymylau a golau pell.
Trois yn drofannau i mi fy hun
wrth i mi foesymgrymu i'r haul

a throi bant gyda'm gaeaf. Nid nad oes gwaith
mewn troi yn yr unfan yn hunan-gytûn.
Bûm ar goll am hydoedd i mi fy hun.

Gwyneth Lewis

AR RIW PEN-Y-LAN

Dacw fws Bryntaf ar y gorwel.
Hwylia i lawr
drwy ymchwydd y bore,
yn ysgafn gan obaith,
a'r dyn wrth y llyw yn sicr o'r ffordd
heb ddeall y geiriau
na grym yr arwyddion.

Hwylia i lawr
at y dorf fach ddisgwylgar
ac aros
i godi coflaid arall ar ei fwrdd,
cyn troi drachefn i'r llif
a'r llwybrau aflonydd.

Chwifia'r dyfodol
o'r tu ôl i'r gwydrau.
Mae'r cargo gwerthfawr eto ar ei daith,
yn brydferthwch dihafal.
Ond weithiau,
er gloywed y weledigaeth,
brathog yw'r heli yn llygaid dyn
wrth i'r plant
hwylio i ffwrdd.

Gilbert Ruddock

ENGLYNION COFFA ENID JONES-DAVIES

(cyn-brifathrawes Ysgol Bryntaf)

Boed heddwch i'w llwch, ond gŵyr llu – nad yw
    Ei dawn yng Nghwm Tydu;
    Erys gwaith y Gymraes gu,
    Dewr y dasg, wedi'r dysgu.

Pwy weithiodd dros y Pethe – â'i hynni
    Fel Enid â'i chyfle?
    Amryddawn, llawn ymhob lle,
    Hen olud teulu'r Cilie.

Enid hoff oedd ym Mryntaf – a thrwyadl
    Athrawes ffyddlonaf;
    O'i hawydd mae cynhaeaf,
    Mawr eu braint, o Gymry braf.

Ei holl aberth, pwy all wybod – ei swm
    Na sêl ei chydwybod?
    Yma'n ein clyw mwy na'n clod
    Mawr actau ei Chymreictod.

Rhoddwyd cymwysterau addas – iddi
    Yn waddol ac urddas;
    Onid grym ynghyd â gras
    Oedd hon yn y Brifddinas?

Er yr archoll o golli yr Enid
    Dirionaf o'r cwmni,
    Enid yw hon, nid yw hi
    Yn fud ar nawn o Fedi.

D. Gwyn Evans

YR YSGOL GYMRAEG

Rhywrai gynt
A fu'n esgeuluso gardd,
Gadael i anialwch yr estrondir
Ei llethu.
Edwinodd y pren,
Pla i'w ddifa a ddaeth –
Hen bren y cynefin bridd.

Ond wele,
Onid oedd hedyn eilwaith
Yng nghôl y gwynt,
A'i wareiddiad yn ei gudd wreiddiau?
Chwiliodd yn hir am y ddaear
A'i carodd gynt.

Yna,
Daeth iddo o'r diwedd
Ei dymor ei hun;
Awelon cynnes i'w anwesu,
Tywydd mwy teg,
Disgynnodd i galonnau brwd,
Deffrôdd,
Er gwanned, ir eginodd.

Rhag chwant y chwyn
Da y dwylo a'i didolodd.

Oni-welwch-chi'r blagur ifanc yn ymagor,
Cain dwf mewn cynefin dir
A'r nefoedd yn glasu uwchben?
Daw gwawr yfory i dorri'n deg
Ar y brodorol bren.

J. M. *Edwards*

DENGMLWYDDIANT YSGOL GLAN TAF

Dathlwn mai Taf yw'r afon – eleni
  A'i glannau mor ffrwythlon
  Sy'n cynnal swyn acenion
  Yr Iaith yn y Gymru hon.

Euryn Ogwen

YSGOL GLAN TAF

Anorthrech fu afiechyd Afon Taf
ond daeth hen ddihewyd
i lanw hon o'r Blaenau hyd
y Bae â bwrlwm bywyd.

T. Arfon Williams

BLODAU RHIWBEINA

(Teyrnged i'r Bnr Gwilym Roberts, Sylfaenydd Ysgol Feithrin
Rhiwbeina a'i Hysgrifennydd o'r cychwyn)

Nofydd, eu cwm cynefin, a gaewyd
gan y Gaeaf gerwin,
ond parhau wna'r blodau prin –
y mae athro a'u meithrin.

Eu meithrin yn ddiflino ar waethaf
yr heth fyn eu cipio,
yn ddi-baid eu cofleidio
â'i ddihafal ofal o.

Â'i ofal o'n dal fel hyn, yn wastad
drostynt yn amddiffyn,
gwêl y loes a gloes y glyn
anodded difa gwreiddyn.

Pob gwraidd rydd dwf herfeiddiol, yn union,
yn hunan-gynhaliol,
yn iechyd i gyd, ac ôl
ynni'r athro'n aruthrol.

Aruthrol ryfeddol a fydd llewych
y lliwiau ysblennydd
ar bob llaw, pan ddaw ryw ddydd
wenau Haf i Gwm Nofydd.

T. Arfon Williams

82

ENGLYNION CYFARCH I'R *DINESYDD*

Purion, hoew, bapur – yn Gymraeg,
    mawrygwn ei ddeunydd;
    dawn ysol y *Dinesydd*
    a yrr ei dân drwy Gaerdydd.

O Gaerdydd yn gywir daw – ar ei dro,
    dyry iaith i ddifraw
    genedl wedi'r hir gwynaw
    'rhoi angen un rhwng y naw'.

Heddiw fe geir newyddion – yn Gymraeg,
    a mawrhau danteithion
    ein hyddysg ddinasyddion,
    gywir wŷr, yn y gaer hon.

Rhoir i ni ryw wawr newydd: – nis trown mwy
    i'r *Western Mail* beunydd;
    i'n prifddinas negesydd,
    gwyrdd faes ei Chymreigrwydd fydd.

Ithel Davies

PARKIE, CAN WE HAVE THE BALL BACK?

(yn ateb o obaith i *Dyfed a Siomwyd?* T. James Jones)

Darn bach o'r nef
mewn tref yw'r triongl
o borfa, lle mae berfau
fel 'hamddena' ac 'oedi'
yn cenhadu
yn y bwlch rhwng dwy ochr stryd.

Weithiau,
mae'n sgwâr o barc enfawr
yn wyrdd i gyd,
a rhedeg trwy baradwys
yw dianc yma,
i'r llyn a'r coed a'r lle chwarae.

Yn y deyrnas hon,
o fewn y ddinas,
roedd brenin
â chaban gwyrdd iddo'n blas.

Roedd ganddo allwedd
i gloi iete
ac atal plant
â baw ar eu sodle
rhag sbwylo'r lawnt.

Oddi yma,
Fab-a'th-o-gatre,
'sdim ishe ti ffoi –
ym mherci Caerdydd
mae'r cylch yn troi.

Yma,
ym Mharc Victoria,
Parc y Rhath a Hailey,
lle mae pob gosodiad yn gwestiwn?
Does dim angen holi:
'Parky – ni'n cael y bêl nôl?'

Cans mi wn
nad yw yn y llyn fan hyn.

Mererid Hopwood

YM MHARC YR ARFAU, CAERDYDD

(18 Ionawr, 1971)
Cymru 22   Lloegr 6

Ac ar y Sadwrn
cad fawr a fu,
ymdrawiad
ymhyrddiad
 dau lu;
ymryson gwŷr o galon
a gyrchasant y maes gwyrdd,
rhai â'u glewder
 yn llym fel llafnau,
a'u hyder
 fel baner yn gwenu yn y gwynt.

Ynom,
ymchwyddodd y gân
 fel hen lawenydd,
ein lleisiau'n sathru ein cywilydd,
a'n bloeddiadau'n hyrddio'n cur i'r llaid.
Ymdonnodd y tonau cyfarwydd ynom,
 Cwm Rhondda,
 Sosban,
 Calon Lân,
eu nodau'n berwi yn y galon
 fel storm,
nes i'n canu fathru pob tristwch,
i'n gorfoledd luchio pob gormes i'r llawr.

Ac ar y maes gwyrdd
ni a welsom gelanedd,
briwgig
 hen drais,
 hen draha,
ac yno,
 wedi cad,
rhuddai brain ein balchderau
cyn hedfan i ffwrdd ar y gwynt.

Bryan Martin Davies

PARC YR ARFAU

Daear hud yw'r erw hon,
Cartre cewri'r tair coron,
Lawntre werdd gan olion traed
Ac ehofndra'u hysgafndraed.

Cae irlas y tîm sgarlad
A ffiol hwyl hoff y wlad,
Lle mae'r anthem a'r emyn,
Gwaedd 'Hwrê!' â gweddi'r un.
Meca'r gêm yw cyrrau gwyrdd
Stadiwm y llawr gwastadwyrdd.

Daear werdd wedi'i hirhau
Â gwlith buddugoliaethau,
Nas gwywa naws y gaeaf
Na'i hirder yn nhrymder haf.
Aitsh wen ar ddeupen y ddôl
A chennin ar ei chanol,
A chwerwedd llawer chwarae
Yn fyw'n y cof yn y cae.

Moled un wlad ei milwyr
A dewrion doe â'r dwrn dur
Yn dwgyd trefedigaeth
Rhyw ddiniwed giwed gaeth,
Ac arall rin ei gwirod, –
Pan fo gwerin Dewi'n dod
Mân us yw pob dim a wnaeth
Ym mrwydrau'i hymerodraeth,
Yma'n y gwynt mae hen go',
A hen sgôr eisiau'i sgwario.

Ow'r ias, pan welir isod
O'r twnnel dirgel yn dod
Grysau coch i groeso cân,
Hanes hysbys y sosban,
Ac arianfin gôr enfawr
Yn wal am faes y Slam Fawr!

Y mae'r gân sy'n twymo'r gwaed
Yn ein huno'n ein henwaed,
A chytgan y cylch hetgoch
Yn werth cais i'r rhithiau coch.

Byr gord gan y pibiwr gwyn
A phêl uchel i gychwyn,
Ac ar un naid mae'n gwŷr ni
Fel un dyn draw odani.
Wyth danllyd ddraig, wyth graig gre'
Nas syfl un dim o'u safle,
A nerth eu gwth yn darth gwyn
O'u mysg yn cyflym esgyn, –
Eisiau'r bêl i'r maswr bach
Na bu oenig buanach,
Oni red fel llucheden
Yr asgell i'r llinell wen.

Ond ow'r boen, – mae meistr y bib
Yn ein herbyn a'i hirbib!
A'i ateb, – cic, myn cebyst,
Yn enw pawb, dan ein pyst!
O Dduw, y Sais di-ddeall!
O, iolyn dwl, ow'r clown dall!

Y ddwystand fawr yn ddistaw
Ac ar deras diflas daw,
Nes tyr yr agos drosiad
Yn si hir, ddwys o ryddhad.

Oerfawrth ar Barc yr Arfau, –
Sawlgwaith bu i'r 'heniaith barhau'.
Rhwydd y cariodd y cewri,
Curo Ffrainc a'r refferî.
Mae'u henwog gamp mwy'n y co',
A'r nawn 'yr own i yno'.

Dic Jones

87

AR BEN Y LEIN

(gan ymddiheuro i Sarnicol)

Yn nhre Caerdydd mae'r Stadiwm Fawr
  Yr un mor fawr o hyd,
A phedair gwlad sy'n dod i'r fan
  Â charfan arw ei bryd.

Atgofion fil ddaw eto'n ôl
  O fro'r gorffennol draw;
O'r teras llawn yr anthem gwyd
  I'r strydoedd llwyd gerllaw.

Sadyrnau fu, ar lannau'r Taf,
  Mi gofiaf gewri gynt,
A phymtheg llanc, di-ail eu grym,
  A chyflym fel y gwynt.

Ar nawn o Fawrth, y cwm a'r fro
  Oedd yno'n ddiwahân,
A'r lleisiau oedd yn codi'r to
  Wrth chwilio'r Galon Lân.

Ac yma wedi treblu'r sgôr
  A churo'r gwŷr mewn gwyn,
Bu llawer Dai, cyn toriad gwawr,
  Yn feddw fawr cyn hyn.

O gylch y Maes, mor hael fu'r clod
  Wrth drafod sgrym a lein,
A gwychach fyth oedd ein hoes aur
  'Rôl peintiau'r cwrw *Brain*.

Ond cilio wnaeth y dalent fawr,
  Tlotach yn awr yw'n byd.
O na fai'r gwŷr fu'n tanio'r Parc
  Yn gwneud eu marc o hyd.

Pa le mae doniau'r llanciau llon
    Fu'n gochion ar y brig?
Mae'r ffordd yn arwain drwy y porth
    I'r North a'r *Rugby League.*

O gylch y Maes, lle bynnag trof,
    Atgof yw pob Camp Lawn,
A Seland Newydd yn rhyddhau
    Ei llengau pygddu llawn.

Yn nhre Caerdydd mae'r Stadiwm Fawr
    Yr un mor fawr o hyd,
A'r pedair gwlad ddaw yn eu tro
    I'n wado ni o hyd.

                                    Idris Reynolds

BREAD OF 'EAVEN

Bûm mewn cadeirlan ddoe,
a miloedd o addolwyr
sgarffiog, coch; corau unsain,
pleidiol i'w gwlad.

A 'Wales! Wales!' yn gytgan.

Llond awyr o weddïau parod,
llond *Western Mail*, a'i atodiad, o brafado,
a doethineb *Brain's*
yn llefaru mewn tafodau.

O'i bulpud, a neb yn ei glywed,
daw acenion Bill MacLaren,
i roi synnwyr i'r synau,
a throi'r patrymau'n eiriau hanes.

Offeiriadon y gêm
a'u gwisg liw gwaed y tymor,
ar allor werdd, yn stemio.
Yr afrlladen o bêl yn sgimio
rhwng dwylo'r addoliad,
ac ambell gic yn oedi'n hir
uwch y sgarffiau cegrwth
cyn troi'n orfoledd triphwynt
rhwng pyst traws-sylweddiad!

Awn ymaith mewn tangnefedd,
a phiso *Brain's* yn wlyb
dan ein sodlau.

Dafydd John Pritchard

YR ARWYR MARMOR

(Neuadd y Ddinas, Caerdydd)

Yn Neuadd Farmor Neuadd y Ddinas
cewch gwrdd â'r arwyr:
Buddug, Dewi a Hywel Dda,
Gerallt Gymro a Llywelyn ap Gruffudd,
Dafydd ap Gwilym ac Owain Glyndŵr,
Harri Tudur a'r Esgob Morgan,
Pantycelyn – a Syr Thomas Picton dewr.

Yno y safant er un-naw-un-chwech
yn farmor Serafesaidd glân,
yn gwrthgyferbynnu'n effeithiol iawn
â marmor Siennaidd
y colofnau cadarn o'u cwmpas.
Ynghanol oes erchyll
cafwyd celfyddyd.

Safant yn Roegaidd osgeiddig,
eu llygaid yn wyn,
eu bronnau yn oer,
a Dafydd heb dannau i'w delyn.

Eglura arysgrif wrth draed pob un
(Cymraeg a Saesneg)
pwy oedd pwy.

Edrychwch, bawb.
Yma y marmoreiddiwyd arwyr ein gwlad
yn ddiogel am byth.

Nid oes murmur mewn marmor,
na gwreichion na marwor bywyd.
Nid oes gwythiennau yn yr arwyr hyn.
Ni churodd y gwaed yn eu cyrff
erioed.
Yma nid oes ond rhyw luniaidd angau.

Gilbert Ruddock

CWESTIWN

Y Cynulliad a'r Stadiwm – y ddau le
    oedd i leihau gorthrwm
mileinig un mileniwm.

Wedi nabod anobaith ein hildio
    i'r iselder hirfaith
a eglurai'n bwnglerwaith,
ein symud o gors amarch i rodio
    draws rhyd. Gwâr fai'n cyfarch
o argae bae'n hunan-barch.

Ein hysgwyd, rhag ein gwasgu'n y sgarmes,
    â gormod i'n herbyn
i'n draig goch frwydro o'r cychwyn,
a'n pweru â'r gampwriaeth o gael
    gôl neu gais digecraeth
yn enw'n hannibyniaeth.

A ddaw'r Cynulliad a'r Stadiwm, i'n hil,
    yn symbolau bwrlwm
wedi'r erlid a'r hirlwm?

Hyn sy'n ofid – nid oes neb
a ŵyr eto yr ateb.

T. James Jones

CANIAD I GAERDYDD, 1968

Pa Gymro ifanc a rydd ar dy ben gapan y ffwlcyn,
Un cornelog, a'i glychau trimins yn syml eu swn?
Rhaid cael rhywun i chwilio yn Eisteddfa'r Cynghorwyr fel sgwlcyn
Am ddadleuon di-sylwedd byddigion y boliau balŵn;
Casglu'r defnyddiau gwlanen a'u gwnïo wrth ei gilydd
Â'r tâp coch sy'n y siambrau ar answyddogol sbŵl,
A gwneud iti ddigri gap, a'th ddal dan drwyn y genedl yn ddigywilydd
Fel y gwelom, dan dy rodres, oriog gymeriad ffŵl.
Ffŵl am chwarae â'r gyllell fradwrus yn dy lysoedd barn,
Ac am stablad yn dy erddi ar iaith pregeth a chân ac awen,
Dy gyfraith yn filwriaethus, a'th deml heddwch yn sarn,
A llywodraeth Llundain yn dal Emyr Llew yn sbort dan ei phawen.
Dadlau dy ddili-dadl yn y fratiaith a fynnot,
Ffŵl o brifddinas a fyddi heb Senedd ynot.

J. Eirian Davies

A bu, yn y dyddiau duon, annerch
o'r henwyr rai gweinion,
y Ffydd. 'Na foed brudd eich bron.
Gwnawn i ni deml newydd
i fod yn glod drwy'r gwledydd,
er urddas Dinas y Dydd.

To grisial ar lun malwen yn agor
ar degwch yr heulwen
a chau rhag defnynnau'r nen,
a'i llawr o'r clotas glasaf
na wywant yn y gaeaf,
ac ni bydd grin yn hin haf.

Arlwywn wydrau lawer i'w heirddion
fyrddau fel y gweler
torf ei saint o rif y sêr,
a daw brawd o iachawdwr
i'n gwaradwydd, gwaredwr
o barthau Deau y dŵr.

Ac ef drachefn a gyfyd y galon
gywilydd, ac edfryd
y gân a dawodd gyhyd.
Ac yna fe utganwn
ei fawredd, a chlodforwn
ei allu – pan enillwn.'

Dic Jones

94

HWRÊ!

Oes drwm ar Caroline Street
i gadw'r bît gyda'r beirdd?
Oes traed ar hyd City Road
yn dod mewn esgidiau heirdd
i ddawnsio mewn tango tynn
i Lyn y Rhath gyda'r glêr?
Oes naid yn yr Aes yn awr?
Oes gwawr ym Mountstuart Square?

Down i'r Boulevard de Nantes,
i bont y Castell a'r Bae,
a'n lliw hyd y strydoedd llwyd
a gŵyd Syr Dafydd o'i gae;
draig goch uwch yr Old Arcade
a hed gan ein harwain ni'n
ein dawns, am fod ein Caerdydd
yn rhydd fel ei Chymru hi.

Emyr Lewis

LANSIO LLYFR DATGANOLI

(yng Ngwesty'r Parc, Caerdydd, 1999)

I fynd i fewn rhaid ciwio yn y stryd
  yn rhes hir amyneddgar fesul pâr,
ac yn y cyntedd hefyd maen nhw'n fflyd,
  yn neidr o uchelgais fyny'r sta'r.
Ac 'nawr rhwydweithio, cyfarch, sgwrsio'n glên
  a chwilio am gydnabod, ysgwyd llaw,
a'r llygaid chwim yn sganio'r dorf â gwên
  am unrhyw un defnyddiol 'falle ddaw.
Ble roedd y rhain, brin ddeunaw mis yn ôl?
  Rhyw ugain yng Nghaerdydd a ddaeth ynghyd,
i herio gormes gyda'u gobaith ffôl
  y gall rhyw ddyrnaid ffyddlon newid byd.
Mae'n rhyfedd faint o Gymry sy'n y wlad,
  a faint o arwyr sy 'na *wedi*'r gad.

Grahame Davies

SEITHGWAITH: MUNUD ...

'What pêrt o north Wails is that accent from?'
'Just west of Swansea,' eglurais i'r gyrrwr tacsi.

Ac nid oeddwn wedi mentro mor bell â hynny
gan mai 'ie' yn y diwedd a orfu.

Llond tafarn, tŷ cownsil a thŷ cwrdd
o raddau anrhydedd yn y Gymraeg
(a llond stiwdio o dystysgrifau cyfieithu
yn genhedlaeth newydd o gyfryngis)
yn glafoerio dwyieithrwydd i Daf,

yn prynu'r tai a brwydro llai,
byw bywyd bach teidi
fel gwas i sawl mawrhydi
a ddatganolodd y rhuban glas
oedd â'i ben yn Sycharth a'i gwt yng Nghilmeri.

Ond nid yw'r Bae yn fae heb fôr,
mae'n gwch heb gerrynt nac angor,

ac nid oedd y llaid yn wincio'n ôl
at y sioe o dân a oleuodd y Mai
pan dwymwyd chwe deg o seddau,

na'r siampên drud a yfai rhai
yn ddigon i gadw eu clustiau
yn sŵn y dathliadau,
na sychu o'u holau
pan agorwyd y llifddorau.

Ni chwipiodd y tonnau drwy'r coridorau llwyd
lle hongiwyd lluniau o'r oes a fu
yn ddel i ddal rhyw olau o bylloedd bas y dadlau.

Ond a fydd gwydr i'w weld yn y fframiau eto
cyn i'r Gwyddno nesaf gwympo
dros y bagiau tywod, wrth droed y drysau,
sydd beunydd yn drymach gan eiriau?

Lisa Tiplady

CERDD FAWR CAERDYDD 3

Mae'r haul uwch Bae Caerdydd ar ei anterth
ac mae Cŵl Cymru'n toddi yn y gwres;
y Saabs heb do yn sgleinio, yn diflannu,
pob siwt tri-chan-punt yn diosg ei hun,
yn treulio fel dilledyn,
y sbectol haul Gucci yn gwingo,
yn fflachio'n ddim,
y ffonau symudol yn symud i ddifancoll,
y cardiau busnes yn cyfnewid dwylo â diddymdra,
y cwmnïau digidol yn pwyso'r botwm dileu;
pob platfform aml-gyfrwng,
pob prosiect rhyngweithiol,
pob menter rhithwir,
pob dot com yn tarthu'n derfynol,

gan adael
pob hunan heb gyrhaeddiad,
pob sylwedd heb ei ddelwedd
yn ddiamddiffyn yn yr heulwen braf,
galanas allanolion galan.

Anhysbys

BAE CAERDYDD AR DDECHRAU'R MILENIWM NEWYDD

Y mae rhyw gynnwrf ym mae Morgannwg
Trowyd heibio'i orffennol diolwg,
Ar ei drothwy mae mwy na mwg porthladd;
Mae gwŷr yn ymladd, mae geiriau'n amlwg.

Ein galw yno roedd cri'r gwylanod
Cri o obaith oedd afiaith eu defod.
Ond heno mae rhyw stad hynod yno'n
Parhau i dendio seiliau Prydeindod.

Gwŷr addysg angof eu gwreiddiau, eu gwaith
Yw gwthio syniadau,
O awr i awr eu geiriau
A'u pwyll hwy sydd yn pellhau.

Athronwyr coll a'u holl heip
Astrus o dan eu pinstreip;
Canolfan gwacter manwl,
Muriau cŵyr ein 'Cymru cŵl'.

Gari Wyn

BAE CAERDYDD

(Y drwg efo Amcan Un ydi nad oes yna ddim Un Amcan. Mae rhai,
wrth gwrs, yn rhoi'r bai ar y Bê. Mae'r sefydliad ym Mae Caerdydd yn
ymddangos fel pe bai mynd drwy'r moshwns yn ddigon, ac nad oes
dim rhaid gwneud dim byd . . .)

Mae'n edrych yn wych; maen nhw
yn llawn o heip penllanw –
llun swel ydi'r hoff ddelwedd,
a'r gamp, meddant, yw creu gwedd
calendr glòs: cael un dŵr glas
haeddiannol o brifddinas
dros hafren y beipen bòg
a lleuadau'r gwlâu lleidiog.

Ac yn siŵr, mae dŵr Caerdydd
gystal â llun: llun llonydd,
heb ordd yn nhonnau'i bae hi
na halen yn ei heli.

Pa wefr cael wyneb hyfryd
a'r dŵr rhydd ar drai o hyd?
Rhowch le i fwy na drych o wlad,
rhowch im fwy nag edrychiad –
rhowch im ddydd y bydd y bae'n
llyn drwg ac yn llawn dreigiau.

Myrddin ap Dafydd

100

DEWCH ADRE I'R BAE

A dyma hi, ein glanfa ni,
Ein rhyngwyneb electronig
Ger Iwerydd ein dyfodol.

Hyd wifrau'r rhyngrwyd ehedwn
I'r Hen Ogledd,
Hyd wifrau'r fewnrwyd dychwelwn
I'n dyfodol.

Yn y nos wele gragen risial
Y gwesty pum seren;
Yno daw arweinwyr byd
I aros dan gronglwyd Dewi
Y deuddeg seren ac un.

Brysiwn i siarad â'n cyd-fforddolion
Ar yr uwch-draffordd gwybodaeth,
Ond ofnwn gymdogion y trothwy
Yn nieithrwch clòs eu hen fyd.

O'n tŵr electronig
A'n trigfan warchaeëdig,
A fentrwn ni allan weithiau
I gydgymdeithasu o gwmpas siartiau
Profedig yr eglwys wen?

John Emyr

101

YR EGLWYS AR Y CEI

Y mae llongau sydd yn hwylio dros fynyddoedd gwyllt y don,
hwylio draw o Norwy ers oes i'r ynys hon,
mewn llongau cry o goed a dur, mae'r rhain yn rhoi i fi
dros foroedd oer y gogledd i ddociau llwyd Caerdydd,
i ddociau llwyd Caerdydd.

Cytgan:
Efallai dim ond breuddwyd, ond siŵr mi welais i
y bae yn llawn o hwyliau y llynges gynt a fu,
y llynges gynt a fu.

Sgŵners a Stavanger, clipers Baltimore,
brics o Casablanca a Califfornaio,
tafarnau Bute a James Street yn llawn o forwyr glas,
aros maent y llanw llawn er mwyn cael hwylio mas,
er mwyn cael hwylio mas.

Y mae yng Nghaerdydd hen eglwys bren sy'n sefyll ar y cei
ac un yn Abertawe ar y dociau ger y bae,
er cof am goed gwyn Norwy a aeth i'r pyllau du,
i goliers dewr y cymoedd eu glo oedd fel y lli,
a'u glo yn llenwi'r lli, eu glo oedd fel y lli.

Iechyd da i'r llongwyr a'u llongau ar y don
a hwyliodd drwy y stormydd i'r ynys fechan hon,
a iechyd da i'r coliers, 'sdim lot mewn gwaith ddim mwy,
ffarwél i'r glo, mae'r byd yn troi, i niwclear a nwy,
i niwclear a nwy.

Meic Stevens

DOCIAU LLWYD CAERDYDD

Mor las yw golau'r wawr yn nociau llwyd Caerdydd,
mor agos mae yr awr i hwylio;
wele'r llong yn paratoi, brysio mae'r holl longwyr,
clyw sŵn y gadwyn ddur, mae'r angor yn codi.

Cytgan:
Rwy'n mynd i hel fy ffortiwn, dros y môr i America,
hiraeth fydd gyda mi, ffarwél i wlad y gân.

Rwy'n falch mewn ffordd o fynd, mae'n anodd ei esbonio,
ond taro mae fy nghalon yn drymach na'r coed derw.
Does dim atgofion cas, mae'n well i gofio'r canu
ar ryw nos Sadwrn bach, Hannah Mair yn caru.

Ond ar y trydydd dydd, disgynnodd y stormydd,
roedd wyneb gwyrdd y dŵr mor uchel â'r mynyddoedd,
sgrechen oedd y gwynt, dechreuodd y daran,
fel corcyn oedd ein llong yn nhrobwll chwyrn yr afon.

Meic Stevens

PEERLESS JIM DRISCOLL

Gwyddel digymar Cymru,
dychryn byd dy ddyrnau di;
dy dde sydyn yn ffrwydro
ar ên yn drwm fel dram glo,
dy chwith yn dod o 'nunlle
fel cadwyn craen Tiger Bay.
Y *champ*, arswyd pencampwyr,
â'r llaw ddur i lorio gwŷr;
y *pro* perycla' erioed,
a dewrion byd wrth dy droed.
Cofnodwn yma mewn efydd
ddyrnau caleta' eu dydd,
ond mwy nag unrhyw ornest,
mawr wyt am yr hyn na wnest:
y tro pryd y'th ddyfarnwyd
yn gydradd am deitl byd,
America'n mynd o'i cho'
am ail ornest i'w setlo
a byd yn mynnu iti
ei chymryd, a'i hennill hi.
Ond naddo, daethost sha' thref
i gadw gair â chartref
i blant amddifaid Caerdydd
lle'th fagwyd. Cedwaist y ffydd.
Cadw addewid oedd raid,
colli gwobr, cadw enaid.
Wyddel y dwylo difaol,
dy fenter oedd troi yn ôl;
ymatal oedd d'arwriaeth,
dy ryddid, aros yn gaeth,
a llawryf mwy na llwyddiant
oedd methu – er mwyn y plant.

Grahame Davies

104

Ceir cerflun o '*Peerless*' Jim Driscoll, y pencampwr bocsio o Gaerdydd, yn Sgwâr Bute, Caerdydd. Yn America ym 1910, ymladdodd Driscoll am deitl Pwysau Plu y Byd yn erbyn yr Americanwr Abe Atell. Yn y cyfnod hwnnw, nid oedd modd ennill ar bwyntiau – os oedd y ddau focsiwr yn dal ar eu traed erbyn diwedd yr ornest, ni fyddai canlyniad yn cael ei gyhoeddi. Dyna a ddigwyddodd, ond barn pawb y noson honno oedd mai Driscoll oedd orau, ac fe gynigiwyd gornest arall iddo er mwyn setlo'r mater. Ond roedd y Cymro eisoes wedi addo bocsio mewn sioe elusen ar gyfer Nazareth House yng Nghaerdydd, a byddai aros am ail ornest yn America wedi golygu torri ei air. Hwyliodd yn ôl i Gymru, gan ildio'r siawns o fod yn bencampwr byd. Hyd heddiw mae lleianod Nazareth House yn gofalu am ei fedd.)

DAN FY NGWYNT

Uwch y bar yn yr Old Arcade
rhed fy llygaid ar hyd y lluniau,
paffwyr ac arwyr y cymoedd a Chaerdydd,
y cymeriadau dan y cleisiau,

a dal sylw gŵr ifanc a'i wallt ar ei war,
a gwên yn lle sigár, a chlogyn,
fel Clint Eastwood, ar herw heb het,
yn barod i lithro heibio'r gelyn

fel cysgod, fel cyfrinach, i greu llanast
ar y llinell gais, i danio breuddwydion:
wedi ei fframio uwch y bar, yn bwrw golwg
drugarog ar feidrolion

sy'n galw heibio am swig a sgwrs
yng nghwmni cyfoedion, i dreulio'u gofid
yn ail-hogi'r arfau, ail-sgwennu'r hanes,
ei greu o'r newydd yn chwedl eu hieuenctid:

'dyw'n hargraffiadau ni bob un
ond cyfrolau agored i'w bodio
rhwng ffrindiau ar bnawn Sadwrn segur,
a'r cerddi'n gymaint gwell o'u hegluro:

a phan fo'r gwaed yn anniddig eto,
y lôn yn cyflymu, a'r strydoedd yn diffodd
yn y drych, byddaf yn sibrwd pader
dan fy ngwynt i'r sêr a hawliodd

lygedyn o'n cyfnos; sy'n tywynnu eu hamrantiad
arnom drwy oleuni'r blynyddoedd,
sy'n siarad efo ni yn y nos:
ac wrth wisgo'r milltiroedd

i'r asgwrn, boed i ninnau
dynnu llun, dwyn llinell o'n mabinogi brau,
ei hoelio'n chwedl uwch y bar
a'i fframio'n amlwg i ddal y golau.

Iwan Llwyd

VICTOR

Seren wib oedd yn y gornel
mewn ffwndwr yn y bar,
dyma chwedl Wncl Victor
gwên ar yr hen gitâr.

Roedd e'n byw yn Loudon Square,
bob bore roedd yn crwydro yn y dre,
pob cymeriad yn 'i nabod e,
o ie, o ie, o ie.

Gwin a mwg a merched drwg,
o ie, o ie, o ie.

Gwên fawr o dan yr hen het ddu
a pheint o gwrw mwyn,
bysedd hir yn pigo'r tannau:
Victor yn creu swyn.

Awn heno i'r Quebec i weld y dyn
a'r hen gitâr ar ei ben-glin,
Wncl Victor yn goleuo'r sîn,
o ie, o ie, o ie.

Ie, gwin a mwg a merched drwg,
o ie, o ie, o ie.

Ges i siom pan wnaeth e farw
un prynhawn ar 'i ben ei hun,
dim rhybudd nac arwyddion
cyn aeth e dros y ffin.
Gŵyl o fiwsig oedd ei gynhebrwng ef
Jazz o'r dwyrain a *swing* o'r de,
y *maestro* du o Tiger Bay,
o ie, o ie, o ie,
popeth yn ei le,
o ie, o ie, o ie.

Meic Stevens

(Victor Parker oedd tad-cu'r gitâr Cymreig. Odd e'n byw yn Loudon Square a phan
fuodd e farw, fe odd y cyntaf yng Nghymru i gâl angladd yn steil New Orleans.)

107

FFAG BUMP

Mae'n bump yn y Bae. Mae'r môr ynghlwm
wrth y cei, a'i angorion yn drwm
ac mae baneri'n saliwtio'r hen gapten
pan ddaw bwch o wynt ar draws Môr Hafren.

Yn y *Cambrian Building*, mae'n amser ffoi,
a thrwy tafodau glân y drysau troi
sy'n agor a chau eu cromfachau
am awyr bur y coridorau,
mae hi'n rhuthro i'r stryd; tanio, tynnu
ar ei ffag bump a'i dwylo'n crynu.

Cewch lanhau'r cantin, lluchio pob stwmp,
hoelio ar waliau mân-reolau yn blwmp,
ond mae'n anodd datod yr hen glymau drwg
sy'n caru'r awyr iach ond yn cofleidio'r mwg.

Ac mae baneri'n saliwtio'r hen gapten
pan ddaw bwch o wynt ar draws Môr Hafren.

Myrddin ap Dafydd

TRACSIWT GWYRDD

Erbyn hyn mae'n edrych fel *ghetto* hefo colur
Hawdd yw gweld y dolur sy' 'di wneud.
Bae y Moch yn gosod goleuadau'r newid
Cannwyll y dyhead yn llosgi yn y nos.

O, o, o, ti'n cofio'r myrdd
Rhedeg lawr y lôn yn y tracsiwt gwyrdd?
O, o, o, ti'n cofio'r myrdd
Ti a fi a Collie yn y tracsiwt gwyrdd?

Erbyn hyn mae'n haws i fyw heb Abe a Cheese a Lloydie
Keith a'r praidd a Duppie ar y lôn.
Adenydd Angelina yn hofran uwch y strydoedd
Pwy losgodd tân y gornel lawr i'r bôn?

O, o, o, ti'n cofio'r myrdd
Rhedeg lawr y lôn yn y tracsiwt gwyrdd?
O, o, o, ti'n cofio'r myrdd
Ti a fi a Collie yn y tracsiwt gwyrdd?

Ghetto efo colur mae'n hawdd gweld y dolur
Mae'n sgrifen ar wyneb a thafod y bae
Rhedeg rhag y cloddia a chloria y toileda
Rhedeg rhag y traffig a'r ci yn y cae.

Ghetto efo colur mae'n hawdd gweld y dolur
Cofio am y gwaedu a chyllell y caeth
Morio yn yr hanes am yr hyn a fu
Cofio yr ymadael fel bwa saeth.

Sylw y soniarus a geiriau y barus
Cusan y madonna yn ei lipstic coch
Alaw efydd Cheina yn datgan y geiria
Curiad yr Ahmun fel cusan ar y boch.

Geraint Jarman

109

ARFORDIR

Rhyw le i gyfamseroedd ydyw'r lan;
  bob tro mae gennyf awr neu ddwy yn rhydd
rhwng pnawn a hwyr, fe'u treuliaf yn y man
  lle sylla'r dref i'r môr ym mae Caerdydd.
Mae'n rhyfedd beth yw tynfa'r lle i rai
  fel fi, na fentrodd unwaith yn ei oes
o'r tir, ac sydd yn awr â'i ddydd ar drai
  a'i angor oer yn ddwfn yng ngwlad ei loes.
Cyfamser, cyfnos, rhywbeth ar y ffin
rhwng bod a darfod, dyna dybiwn i,
  ar bob glan môr, sy'n denu gyda'i rin,
fel tynfa'r lloer, y segur at y lli;
  mae rhyddid estron yn y dyfroedd hir,
a byd o siom yn darfod gyda'r tir.

Grahame Davies

EGLWYSI'R DDINAS

Mae'n syndod fod cynifer eto'n bod
   o'r creiriau mawr Fictoraidd yng Nghaerdydd,
y ceir, rhwng siopau fideos Newport Road,
   ryw amgueddfa wag o oes y ffydd.
Llefydd mor ddiarth ydyn nhw i gyd,
   mewn pensaernïaeth ac mewn ffordd o fyw,
a gwerthoedd mor wahanol sydd i'w byd,
   mewn oriau agor ac mewn ffydd yn Nuw.
Ac er na fues 'rioed i mewn i'r un
o'r cofadeiliau duwiol hyn o'r blaen,
   mae'r ffaith eu bod nhw yno ynddo'i hun
yn dyst i'r ffydd a roddodd faen wrth faen.
   'Rwy'n credu, bron, wrth weld ei demlau ef
a'u cenadwriaeth Gothig yn y dref.

Grahame Davies

EBENESER

(Fore'r Nadolig '77, yr oedfa olaf yn Ebeneser, Caerdydd,
cyn dymchwel y capel)

Rhown glod! Canys er difrodi ein teml,
gwneud tomen ohoni,
mae Un sy'n fwy na meini,
arno Ef mae'n hyder ni.

Llawenhau mewn pabell newydd a gawn,
ac yno'n bobl ufudd,
hoff o waith, fe dry ein ffydd
yn ffaith yn llaw'r Perffeithydd.

T. Arfon Williams

TERRY

(Pedair golygfa, rhwng 1985 ac 1995, yn nrama bywyd Terry Hutchinson,
un o deulu'r di-gartref a arferai ddod ar brynhawniau Sul i festri'r
Tabernacl, Eglwys y Bedyddwyr, yr Aes, Caerdydd, i gael te a brechdanau.)

Ti oedd y tarw tra pheryglus
A ruthrai'n ddiseremoni ar brynhawniau Sul,
Yn feddw, fudr,
Yn gegog, gas,
I'r festri ar yr Aes,
Gan hawlio dy frechdanau caws a'th fygeidiau o de.
Ac wedi'r llowcio a'r llyncu,
Mynnu crafangu am fwy a mwy o fwyd.

Ti oedd yr oen tirionaf
A ymlwybrodd eto i'r Tabernacl un prynhawn Sul,
Yn fud gan ofidiau.
Gofynnaist imi estyn iti ddŵr a sebon
I molchi dy ddwylo garw a'th wyneb,
Yn gasnach ac yn gornwydydd i gyd;
Gofynnaist am grib i gribo dy wallt weirennog,
Ymbiliaist am gael dy gludo draw i Landochau.
Ac yno gwelais di'n penlinio
Wrth wely angau d'anwylyd,
Yn welw ei gwedd,
A'r gangrin ar gerdded drwy'i chnawd.

Ti oedd y tresmaswr, yr actor talog,
A gerddodd yn ddigywilydd i'r oedfa un nos Sul,
Heb hidio dim fod y Gweinidog a'i braidd
Yn gweddïo ar Dduw.
Yn herfeiddiol, afreolus,
Cyhoeddais dithau bennau dy bregeth ar goedd
Wrth gynulleidfa mewn braw.
Minnau a geisiais dy gysuro;
Cynigiais iti fwyd a diod i'r corff,
Ac yn dringar bryderus arweiniais di allan o'r cysegr;
Dy dywys, fel tywys ci,
At fwyty rhad yn Stryd Caroline,

113

A llenwi dy geubal gwancus
Â sglodion, sgodyn a chaniaid o gôc.
Yna brasgemais yn ôl i gludwch yr addoldy,
Bolltio'r drws,
A'th adael dithau, fel adyn ar gyfeiliorn,
Ar balmant y stryd
I barhau dy bregeth a'th berorasiwn.

Ti oedd y cyfaill
A ddaeth yn sydyn o rywle un bore Sadwrn
I dabernaclu unwaith yn rhagor ar yr Aes
Ac ymuno, yn ddiwahoddiad,
Â'r parchus gwmni ym mhriodas fy mab.
Estynnais innau iti fy llaw a thynnu dy lun;
Ac wele, ymlawenhau yn ddirfawr a wnaethost ti:
Gwenu ac ymorfoleddu,
Ymorchestu, moesymgrymu,
A llefaru myrdd a mwy o eiriau teg.

★   ★   ★

Terry, ble rwyt ti heno:
Mi wn yr ateb.
Yr wyt rywle ar strydoedd y ddinas
Yn fwndel o ofnau ac o ddyheadau,
Yn gwagswmera yng nghwmni dy gyd-fforddolion,
Yn yfed gwin a seidir rhad,
A beunydd, beunos yn chwilio am lwyfan
I berfformio drama fawr dy fywyd.
Ond heno yr wyt hefyd yma gyda mi
Yn nwfn y galon,
Yn ysbrydoli fy nghân
Ac yn procio fy nghydwybod.

Robin Gwyndaf

114

YMWELD AG EGLWYS SANT IOAN FEDYDDIWR, CAERDYDD

Ni fentrais i mewn ar fy union; yr oedd untroed o blaid
ac untroed yn erbyn, ac oedais yng nghysgod y gromen
am eiliad neu ddwy, eithr mentro er hynny oedd raid
i weld yr addoldy. O'r cyntedd, lle'r oedd dwy golomen
yn pigo'u cynhaliaeth, symudais i'r eglwys am hoe
rhag trwst y traed a'r drafnidiaeth, a chael, drwy fynediad
i'w chysegr, dawelwch, y tu draw i ddadwrdd cerddediad
a rhygniad rhugl y dorf ar y cerrig oer.

Pa beth a'm cymhellodd? Ei hallor, efallai, neu'r côr:
neu ai chwennych gweld arwydd yr Arglwydd, yn sŵn ei hosanna? –
Gweld un o firaglau Duw y tu ôl i'w dôr,
miragl megis treigl y maen neu argoel y manna,
a Duw yn dod o'i feudwyaeth, a chynhyrfiad ei awel
yn cyffwrdd â'r merddwr, neu wyrth megis porthi'r pum mil,
neu wyrth fel y dŵr yn troi'n win, a minnau'n ei sgil
yn ymglywed â dirgelwch Duw'n yr awyrgylch dawel?

Yr oedd yno ddistawrwydd, distawrwydd fel sancteiddrwydd Duw,
ond nid oedd yno firagl; nid oedd un dim anghyfarwydd
ac eithrio'r ust hyglyw, llond eglwys o ust ar fy nghlyw,
tawelwch yn llawn o ddirgelwch, ond heb gael yr un arwydd,
ac nid oedd ond sŵn fy nhraed yn atseinio, a thraed
y dorf, y tu allan, i darfu ar y naws cysegredig,
ond nid oedd yno firagl; ni lifeiriodd o gorff archolledig
ein Harglwydd Grist i'r un caregl ei ddagrau a'i waed.

Cerddais o amgylch gan edmygu lliw fflamgoch pob paen,
a phatrymau'r haul yn amryliw yn un o'r ffenestri
yn ymrithio'n berth, honno'n llosgi heb losgi o'm blaen,
a'r angel â'i law ar y delyn, a dwylo'n dal llestri;
hithau'r gannwyll fer yn diferu, fel pe bai'n edifeiriol,
ei dagrau o wêr yn y gongl, yng nghysgod y Groes,
lle'r ymgrogai Mab Mair yn ei lesmair dirdynnol a'i loes,
ond ni ddaeth yr un miragl nac arwydd o'r distawrwydd dieiriol.

Ni wn paham y petrusais cyn tramwy drwy'r ddôr.
Ai ofn y distawrwydd oedd arnaf, gan nad wyf yn anffyddiwr,
neu ai oedi rhag wynebu'r Duwdod, gan ofni fy Iôr,
ofni canfod ei wedd yn Eglwys Ioan Fedyddiwr?
Neu ai ofn i ddiddymdra fy ysbryd, wrth ei ddisgwyl, ddisgyn
yn eco oer ar y cerrig wrth gerdded y llawr,
ofn clywed fy enaid fy hunan yn y gwacter mawr
fel y ceudod y tu mewn i gneuen wedi diosg y plisgyn?

Yr oedd yno ddistawrwydd, ac yn y distawrwydd 'roedd Duw;
yr oedd yno dawelwch, ac yn y tawelwch dystiolaeth;
yr oedd yno, rhwng y muriau marwaidd, bresenoldeb byw,
nid presenoldeb y delwau, ond dirgelwch bodolaeth
yr Un sydd yn estyn gwahoddiad, er ymguddio o'n gŵydd,
i fyfyrio ar ystyr yr ust, ac i wrando'r mudandod
y tu hwnt i brysurdeb a dwndwr ein hoes ddisyfrdandod,
cyfnod y myrdd rhyfeddodau, a dyddiau'r miraglau rhwydd.

Alan Llwyd

116

COLEG DIWINYDDOL MIHANGEL SANT, CAERDYDD

Ni wn a ydych yn eich gweld eich hunain
fel gwrthrychau cenfigen.
Ond dyna'r hyn ydych i mi.

Pan af heibio i'ch ffreutur golau
bob nos am chwech ar fy ffordd o'r gwaith,
cymeraf gip ar eich swper nosweithiol,
yn deulu mawr wrth y byrddau hirion
yn eich corlan arddull-gothig
dan lun o'r Forwyn Fair.

Nid gwrthrychau cenfigen i'r byd ydych
pan agorir giât eich ffald
a phan fentrwch allan yn eich coleri chwerthinllyd
a charpiau truenus eich cred.

Ond minnau, rwy'n cenfigennu
wrth weld, drwy'r gwydr, eich cymdeithas yn gyfan
yn eich 'stafell olau
wrth imi deithio heibio
i'r nos.

Grahame Davies

NOSWYL NADOLIG

Un seren a gonsuriaf – i wenu
  yn fy mhen, ac wylaf
  yn dawel, am na welaf
  innau ond tarth Afon Taf.

Emyr Lewis

'DOES DIM BYD GORUWCHNATURIOL WEDI

'Does dim byd goruwchnaturiol wedi
Digwydd heddiw.

Neb wedi cerdded ar lyn y Rhath.
Neb wedi hedfan dros yr Amgueddfa.

Dim un ddrychiolaeth wedi ymrithio.
Dim un o'r tylwyth teg i'w weld,

Na chathod yn siarad,
Na chŵn yn adrodd barddoniaeth.

Dim olion traed Yeti yn Heol y Frenhines.
Dim anghenfil yn cuddio yn Cathays.

Dim pysgod yn disgyn o'r awyr.
Dim arwydd o ymwelwyr o'r gofod.

Neb wedi plygu llwy heb ei chyffwrdd.
Neb wedi darllen fy meddwl.

'Run blwch teleffôn wedi diflannu.
'Run robot wedi nogio yn Neuadd Dewi Sant.

Mihangel Morgan

119

CAERDYDD

Wrth hyd a lled y gwledydd
acer o dir yw Caerdydd,
ond mae hi'n gread i mi:
y tyrrau a'r cwteri,
y coed a'r tarmacadam,
yr arcêds a'r llwybrau cam.

Cerddaf yn araf drwy hon,
un wyf a hithau'n afon,
ymlaen, a Chymraeg fy mloedd
ymhlith ei haml ieithoedd
fel ton yng nghythrwfl Taf.
Y mae dinas amdanaf.

Emyr Lewis

120

CYDNABYDDIAETH

Hoffai'r golygyddion a'r Wasg gydnabod y ffynonellau isod:

Llinos Angharad: 'Yn Nhreganna Heno', *Barddas* Rhagfyr 1995/Ionawr 1996

Anhysbys: 'Sain Ffagan', *Barddas* Mawrth 1997; 'Tribannau Morgannwg', *Tribannau Morgannwg* (Gwasg Gomer)

Myrddin ap Dafydd: 'Lliwiau'r Ddinas', 'Parch' (gan yr awdur); 'Ffag Bump', 'Bae Caerdydd', *Syched am Sycharth* (Gwasg Carreg Gwalch)

Ifor ap Glyn: 'Cymraeg Caerdydd', *Cerddi Map yr Underground* (Gwasg Carreg Gwalch); 'Tri Darlleniad Trychinebus Ynys Prydain', *Golchi Llestri Mewn Bar Mitzvah* (Gwasg Carreg Gwalch)

Cris Dafis: 'Mwydyn yn y Ddinas', *ac ystrydebau eraill* (Y Lolfa)

Catrin Dafydd: 'Esgidiau Newydd', 'Bws 153 i Waelod-y-Garth' (gan yr awdur)

Bryan Martin Davies: 'Ym Mharc yr Arfau, Caerdydd', *Cerddi Bryan Martin Davies* (Cyhoeddiadau Barddas)

Emyr Davies: 'Wrth Afon Taf' (gan yr awdur)

Grahame Davies: 'Arfordir', 'Eglwysi'r Ddinas', *Adennill Tir* (Cyhoeddiadau Barddas); '*Blues* Pontcanna', 'Coleg Diwinyddol Mihangel Sant, Caerdydd', 'Lansio Llyfr Datganoli', '*Peerless* Jim Driscoll', *Cadwyni Rhyddid* (Cyhoeddiadau Barddas)

Ithel Davies: 'Englynion Cyfarch i'r *Dinesydd*', *Y Dinesydd* Rhif 4, Gorffennaf/Awst 1973

J Eirian Davies: 'Caniad i Gaerdydd, 1968', *Cân Galed* (Gwasg Gomer)

J. M. Edwards: 'Tribannau Morgannwg', 'Dwy Afon', 'Yr Ysgol Gymraeg', *Y Casgliad Cyflawn* (Gwasg Christopher Davies)

John Emyr: 'Dewch Adre i'r Bae', *Y Bae a Cherddi Eraill* (Gwasg Gomer)

D. Gwyn Evans: 'Englynion Coffa Enid Jones-Davies', *Y Dinesydd* Rhif 90, Hydref 1982

Mari George: 'Cymru o'r Awyr', *Y Nos yn Dal yn fy Ngwallt* (Gwasg Gomer)

Robin Gwyndaf: 'Terry' (gan yr awdur)

Mererid Hopwood: 'Dan Gysgod John Bachelor', '*Cardiff Born*', 'Cwestiynau', '*Parkie, can we have the ball back?*' (gan yr awdur)

Dafydd Islwyn: 'Yr Amgueddfa Werin' (gan yr awdur)

Geraint Jarman: 'Ac am Eiliad Rwy'n Ddall', 'Cân Ionawr', *Cerddi Alfred Street* (Gwasg Gomer); 'Ambiwlans', 'Steddfod yn y Ddinas', 'Strydoedd Cul Pontcanna', 'Sgip ar Dân', 'Tracsiwt Gwyrdd', 'Y Jyngl Ddynol', (Cyhoeddiadau Sain)

Bobi Jones: 'Caerdydd', *Casgliad o Gerddi* (Cyhoeddiadau Barddas); 'Clywed am Lofruddiaeth a Mynd Heibio i'r Tŷ', *Canu Arnaf* (Cyfrol 1) (Cyhoeddiadau Barddas)

Ceri Wyn Jones: 'Gofal' (gan yr awdur)

Dic Jones: 'Clwb Ifor Bach', *Y Dinesydd* Rhif 193, Ebrill 1993; 'Parc yr Arfau', *Cyfansoddiadau a Beirniadaethau Eisteddfod Genedlaethol Caerdydd 1978*; '. . . fel yr adeiledid y deml' Sech. 8:9, *Barddas*, Medi/Hydref/ Tachwedd 2000

Islwyn Jones: 'Cywydd Croeso'r Ŵyl Gerdd Dant', *Y Dinesydd* Rhif 73, Rhagfyr 1980

T. James Jones: 'Ar Ynys yr Hayes', *Eiliadau o Berthyn* (Cyhoeddiadau Barddas); 'Cwestiwn', *Diwrnod i'r Brenin* (Cyhoeddiadau Barddas)

Emyr Lewis: 'Oni Ddown i'r Waun Ddyfal', 'Rhaid Peidio Dawnsio yng Nghaerdydd', *Cyfansoddiadau a Beirniadaethau Eisteddfod Bro Ogwr 1998*; 'Yr Aes', 'Noswyl Nadolig', *Chwarae Mig* (Cyhoeddiadau Barddas); 'Sacs', 'Hwrê!', 'Caerdydd', *Amser Amherffaith/Dysgu Deud Celwydd yn Tsiec* (Gwasg Carreg Gwalch)

Gwyneth Lewis: 'Y Daith', *Cyfrif Un ac Un yn Dri* (Cyhoeddiadau Barddas)

Saunders Lewis: 'Lavernock', *Cerddi Saunders Lewis* (Gwasg Prifysgol Cymru)

Nest Lloyd: 'Glaw yng Nghaerdydd', *Hel Dail Gwyrdd* (Gwasg Gomer)

Alan Llwyd: 'Ymweld ag Eglwys Sant Ioan Fedyddiwr, Caerdydd', *Y Dinesydd* Rhif 93, Chwefror 1983

Iwan Llwyd: 'Caerdydd, 1984', *Dan Anesthetig* (Gwasg Taf); 'Nadolig Caerdydd', 'Y Dywysogaeth', 'Dan fy Ngwynt', *Dan fy Ngwynt* (Gwasg Taf); 'Califfornia (*Caerdydd a'r Cymoedd*)', *Dan Ddylanwad* (Gwasg Taf)

Mihangel Morgan: 'Prifddinas Caerdydd yn Dihuno', *Barddas 132,* Ebrill 1988; 'Y Ddinas fel Cath – Y Fi fel Llygoden', ''Does dim Byd Goruwchnaturiol Wedi', *Diflaniad Fy Fi* (Cyhoeddiadau Barddas)

Prys Morgan: 'Yr Eglwys Newydd, Caerdydd', *Blodeugerdd o Farddoniaeth Gymraeg yr Ugeinfed Ganrif,* (Cyhoeddiadau Barddas/Gwasg Gomer)

Euryn Ogwen: 'Dengmlwyddiant Ysgol Glan Taf', *Y Dinesydd* Rhif 153, Ebrill 1989

Iorwerth Peate: 'Y Gegin Gynt yn yr Amgueddfa Genedlaethol', *Canu Chwarter Canrif* (Gwasg Gee); 'Haf yn y Ddinas', *Y Caug Aur* (Depot Cymraeg Foyle)

Dafydd John Pritchard: *Bread of 'Eaven* (gan yr awdur)

Elinor Wyn Reynolds: 'Cwsg ac Effro' (gan yr awdur)

Idris Reynolds: 'Ar Ben y Lein', *Ar Lan y Môr* (Gwasg Gomer)

John Rowlands: 'Caffe'r Hayes – Caerdydd', *Y Casgliad Answyddogol* (Y Lolfa)

Gilbert Ruddock: 'Ar Groesffordd yng Nghaerdydd', *Barddas* Mai 1984; 'Heol Siarl, Nos Wener', *Troad y Rhod* (Cyhoeddiadau Barddas); 'Canolfan Siopa Dewi Sant', 'Ar Riw Pen-y-lan', 'Yr Arwyr Marmor', *Hyn o Iachawdwriaeth* (Cyhoeddiadau Barddas)

Meic Stevens: 'Dociau Llwyd Caerdydd', 'Sandoz yn Loudon Square', 'Victor', 'Yr Eglwys ar y Cei' (Cyhoeddiadau Sain)

Lisa Tiplady: 'Seithgwaith: munud . . .' *Barddas* Medi/Hydref/Tachwedd 2000

Lona Mari Walters: 'Cathedral Road', *Pum Munud Arall* (Y Lolfa)

Alun Llywelyn-Williams: 'Penyd y Bardd', *Pont y Caniedydd* (Gwasg Gee)

T. Arfon Williams: 'Blodau Rhiwbeina', 'Afon Taf', 'Ysgol Glan Taf', 'Ebeneser', *Englynion a Cherddi T. Arfon Williams: Y Casgliad Cyflawn* (Cyhoeddiadau Barddas)

John Wood: 'Canolfan Siopa Dewi Sant', *Y Dinesydd* Mehefin 1984

Gari Wyn: 'Bae Caerdydd ar ddechrau'r mileniwm newydd', *Stwff y Stomp* (Gwasg Carreg Gwalch)

Ysgol Melin Gruffydd – Blwyddyn 5: 'Ein Dinas' (gan yr awduron)

Cyfres Cerddi Fan Hyn

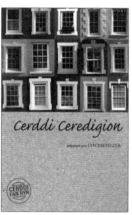

Mynnwch y gyfres i gyd

CYFROLAU I DDOD:

Clwyd	gol. Aled Lewis Evans
Sir Gaernarfon	gol. R. Arwel Jones
Y Cymoedd	gol. Manon Rhys
Meirionnydd	gol. Siân Northey
Y Byd	goln. R. Arwel Jones a Bethan Mair

£6.95 yr un